Narratori ◀ Feltrinelli

Lorenzo Marone
La donna degli alberi

© Giangiacomo Feltrinelli Editore Milano
Published in arrangement with Meucci Agency-Milano
Prima edizione ne "I Narratori" ottobre 2020

Stampa Grafica Veneta S.p.A. di Trebaseleghe - PD

ISBN 978-88-07-03414-5

FSC
www.fsc.org
MISTO
Carta
da fonti gestite in
maniera responsabile
FSC® C021883

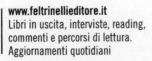

www.feltrinellieditore.it
Libri in uscita, interviste, reading,
commenti e percorsi di lettura.
Aggiornamenti quotidiani

IL RAZZISMO
È UNA
BRUTTA STORIA.
razzismobruttastoria.net

La donna degli alberi

A chi ha il fiato corto,
ai calpestati,
alle loro piccole o grandi ribellioni.

Se allevierò il dolore di una vita
o guarirò una pena
o aiuterò un pettirosso caduto
a rientrare nel nido
non avrò vissuto invano.

EMILY DICKINSON

Sono stata donna in fuga.

In me c'era l'inquietudine della partenza, la vulnerabilità del sopravvissuto, camminavo con il passo spezzato. Mi costruivo le ritirate che non ho preso, ho accettato gli allontanamenti che non ho scelto, ho accolto chi è entrato nella mia vita per evadere dalla sua, sono stata fuggiasca e non vincitrice, rincorsa ma perdente. Ora inseguo l'amor proprio, coltivo il piccolo ambizioso progetto di non restare dove non c'è amore. Mi ritaglio lo spazio per ripassare le mie mancanze, e mi affanno a farmi trovare preparata spettatrice del minuscolo che accade. Mi propongo di mantenere inviolata la fame di vivere pienamente. In armonia con quello che c'è, con chi c'è. Cerco la fede senza fede.

Lascio dietro di me le cose che non comprendo, quelle che non posso cambiare, lo sguardo ostile di chi non ti conosce, le bottiglie di plastica, la città piena di assenza, i cellulari che rubano il tempo. Lascio il mondo dei vincenti, di quelli che si sentono tali, il frastuono dei loro bolidi, la televisione dell'apparire, le cartacce per terra, l'auto davanti alla discesa dei disabili, il menefreghismo diffuso. Lascio l'idea che non ci si debba annoiare, e chi non mostra dubbi, chi non ha tempo per salutare, i ripetitori della telefonia mobile sui tetti. Lascio le urla di prevaricazione, e quelle che fanno spettacolo, le ricorrenze che mi rendono più sola, e l'idea di profitto. Lascio il convincimento che la vita sia prendere sempre un pochino di più, l'indifferenza verso il mondo animale, la paura di ciò che non si conosce, lascio i muri che soffocano, chi salta la fila, le cicche per strada, la condivisione di ogni cosa, l'idea di fare prima degli altri, la ricerca dell'affare, che è approfittare, l'afa delle notti estive di cemento, il cielo senza stelle. Lascio i telegiornali, i discorsi frivoli, chi non parla agli sconosciuti, chi vorrebbe portarsi via un pezzo di me, chi ostenta, lascio i cibi confezionati e i supermarket, chi non ha tempo per riparare, le vie d'asfalto, il suono insistente dei telefoni, lascio il senso di colpa per non provare a cambiare le cose, l'idea del controllo, e agli altri il bisogno di avere ragione.

Mi lascio dietro le mie aspettative asfissianti, la troppa informazione che cela la verità e fa schiavi, lascio i tanti oggetti inutili e dannosi, le scuse che non servono e le sentenze gratuite, chi ti ferma per venderti qualcosa, il groviglio dei fili del tram sulla testa, i palazzi che tolgono l'orizzonte, la foga che prende il prossimo.

Lascio le cose non destinate a me, ciò che non può farsi meraviglioso, i pesi alle caviglie, vincere le battaglie a tutti i costi, avere l'ultima parola. Lascio in città le cannucce di plastica e i cotton fioc, chi non sa rallentare, e chi non scorge il bello, lascio chi ha troppo e vuole ancora, chi non guarda negli occhi, lascio la parte di mondo che non ha rispetto, e nemmeno gratitudine.

Lascio lo spreco dell'abbondanza, la terra dei ricchi che non accetta i poveri, dove tutto è in vendita. Lascio il lamento degli oziosi, l'abbuffata degli ingordi, lo sfruttamento dei prevaricatori, le strade tutte uguali, le case piene di luci bianche, il tempo dell'individualismo, gli ascensori, il frigo americano per stipare cibo che non serve, l'arroganza dei potenti. Lascio la voglia di girare il mondo per prendermi cura di me e di chi vorrà, per tendere la mano a chi non osa più chiedere. Lascio la mia vita, per costruire un nuovo pezzetto di terra da abitare, da seminare e far fiorire.

Imparo a stare, senza rimpianti, senza voler essere continuamente altrove.

Questo è il mio onesto patto da onorare.

Il mio piccolo contributo.

Ottobre

Il freddo mi ha preso le mani. Chiudo i pugni e cerco il sangue che riscaldi le falangi, porto le dita alla bocca, l'alito caldo mi dà sollievo. L'inverno è a un passo e io non sono preparata. Dal vetro sporco del soggiorno entra un flebile sole che non riscalda. La baita scricchiola, mi vede ostile, io che manco da troppo. Nel mio rifugio di bambina mi sento rifugiata, stanotte l'ho trascorsa accanto al camino, non avevo la forza di fare il letto, e le lenzuola erano bagnate per l'umidità. Nel mutismo delle prime ore dopo l'assestamento ci siamo ritrovate, la casa ha ricominciato a parlarmi, mi fa compagnia con i suoi piccoli lamenti, sussurri di vecchiaia. Il gocciolio del rubinetto in bagno riempie il tempo e lo spazio con un ritmo cadenzato che la notte toglie i pensieri dalla testa. Il cellulare prende male, ma tanto non ho chi chiamare. Sul display comparivano due sms pubblicitari, l'ho spento e l'ho lasciato nel cassetto del comodino.

Sono arrivata ieri, verso l'ora di pranzo, con me avevo uno zaino con due maglioni pesanti, due pantaloni, un paio di jeans, due calzamaglie, biancheria intima, un pigiama di flanella, scarponi, un cappello e un girocollo, poco altro. Ricordavo che nel comò della camera da letto dovevano esserci ancora i vecchi pullover di papà, la sua attrezzatura da montagna. Ho trovato calzettoni robusti, alcune maglie, cose così. Ho aperto i cassetti e l'aria si è fatta acida di naftalina, ha preso l'odore delle cose vecchie. In verità di palline fra gli abiti non ce n'erano, è il legno che in questi anni si è tenuto addosso gli odori non suoi, così che fra i maglioni non ho sentito il profumo di papà, anche inspirando a lungo. C'erano poi dei vecchi guanti da sci e un berretto con i paraorecchie, che immagino torneranno utili. L'odore di papà proveniva invece dal caminetto di pietra annerito. Mi muovevo nella stanza come il cane che annusa le tracce, sul fondo del posacenere c'era un mucchietto di polvere scura, il residuo di una pipa fumata e svuotata chissà quanto tempo fa, con i soliti gesti che ho provato ad abbozzare con uno schizzo su queste prime pagine di diario. Accanto al camino c'è la sedia a dondolo che papà costruì con non poca fatica in un'estate piovigginosa, e sulla seduta un cuscino di lana fatto da mamma, e che adesso sa di muffa.

Attorno a me il fitto bosco, so di lui ogni sfumatura, mi avvolgono gli abeti e gli aceri, i faggi e i pioppi che ho imparato a contare da bambina, vagando curiosa fra i sentieri fangosi di inizio primavera che mi sporcavano le caviglie, il fogliame umido che portavo in casa, incollato alle scarpe. Le rocce amiche mi segnano il cammino, nel caso desiderassi allontanarmi dalla baita, un picchio cerca il verme sulla corteccia di un larice vicino, e si incaponisce, uno scoiattolo qualche ramo più su sfrega le zampe sul muso e corre via. Dentro la finestra il Monte che mi è caro, la vetta avvolta da un cumulo di nebbia lascia solo ipotesi.

Il paese è a mezz'ora di cammino. Sono sola, sola davvero, finalmente.

Non chiedo che di essere dimenticata.

Stamattina ho preso presto la via del bosco, un tremolio autunnale di diverse tonalità mi faceva da cielo, sento il bisogno di perdermi fra i grovigli di rami, cerco la fatica dello sforzo fisico, contrappongo ai piccoli e fastidiosi pensieri la potenza del fiato spezzato. Mi sono arrampicata sul pendio di fronte a casa, l'aria ancora umida della notte nelle narici e lo scricchiolio degli aghi sotto gli scarponi, volevo la cima per osservare la Valle, che fuligginosa sonnecchiava al riparo dei monti di sempre. La foresta intontita rumoreggiava al mio passaggio, il terreno era un tappeto di pigne rosse. Indosso avevo solo una felpa, e mi è sembrato poco.

A metà della salita c'era un albero caduto, un maestoso faggio con il legno fradicio ancora vivo, la corteccia era priva di muffa, licheni, o muschio. Rovinando aveva schiacciato sotto di sé due giovani abeti. Ho trovato riposo sulla base dell'albero spezzato, piccole folate di vento spostavano il fogliame mostrandomi sprazzi di cielo, un mosaico di ocra e azzurro. Il tronco portava dentro di sé i suoi passaggi d'età, tanti anelli partivano dal centro e si propagavano regolari verso l'esterno, come il sasso che rompe la stabilità del lago. Ogni anello è un anno di vita della pianta, racconta come questa ha vissuto, quali eventi ha dovuto superare. Mio padre mi spiegava che gli anelli più larghi indicano annate prospere, con piogge abbondanti e climi temperati, quelli più stretti sono invece gli anni difficili, nei quali l'albero ha dovuto resistere. Nel tronco che avevo davanti erano più gli anelli stretti che quelli larghi, il faggio non deve aver avuto una vita facile, e la sua prematura scomparsa mi ha ricordato il ruolo che la fortuna gioca nelle esistenze.

Gli anni lasciano tracce anche dentro di noi. Il primo fiato che ci dà forma e sostanza è nascosto sotto spessi strati di vita, che col tempo induriscono e si fanno corteccia, per proteggerci. Quello che siamo oggi, e che mostriamo, è solo l'ultimo dei nostri cerchi, che come gli altri passati sta tra le tempeste, e resiste.

Fin quando riesce.

Di tanto in tanto mi capita di pensare a un figlio, immagino la mia vita con lui. Dove sarei, e con chi. L'avrei chiamato come mio padre, forse. Mi accorgo di rivolgere lo sguardo al passato, a volte, al fiato primordiale di cui parlavo. Un aneddoto, un ricordo, mi spingono indietro senza che io lo voglia, ai tempi in cui tutto era possibile, quando ero in grado di percepire ogni secondo vissuto, e di dargli valore con i miei perché. Una voce, un profumo, il calpestio del bosco producono sussulti in me. Avevo bisogno di ritrovare questo, più di quanto pensassi. I bilanci non sono per la nostra ultima parte di vita, stanno invece nel mezzo, sono per chi ha ancora tempo da tessere, mia nonna non si perdeva dietro ai bilanci, aveva da tirare avanti con dignità.

Il cigolio della rete in camera dei miei mi fa bambina, papà cedeva stanco al bordo del materasso, dando le spalle a mamma sfilava l'orologio con gesti pazienti e lo posava sul comodino, poi cambiava gli occhiali e prendeva il libro. Dalla stanza accanto quei movimenti potevo solo sentirli, eppure li vedo ancora, e tento adesso di fissarli su queste pagine.

Il troppo vissuto rende fragili, ti scava dentro, come al povero faggio, l'albero secolare che dava forza a chi lo guardava, e invece forse all'interno era già cavo perché in una notte tempestosa di qualche decennio prima un fulmine lo aveva colpito facendolo debole. Ma deboli a questo mondo non si può essere, così sono arrivati i funghi, le spore, i batteri, e hanno preso a mangiarsi il tronco dall'interno. Il povero albero in realtà aveva gli anni contati.

La vita prima o poi colpisce e lascia un buco nel cuore. E da lì si infilano i nemici.

Sono scesa in paese, cercavo provviste. Il freddo sul finire del giorno si prende le mura di casa. Gli insetti trovano riparo da me, ieri uno scorpione era annidato dietro la porta del bagno. Ci sono abituata, le mie estati erano piene di ragni, libellule, cavallette, api, formiche. L'ho preso con la paletta e l'ho portato all'esterno. Il paese è quello di sempre, poche case, silenzio, odore di camino, occhi che scrutano. La fornaia la ricordavo grossa e fagocitante quanto un cinghiale, l'ho ritrovata piccola e insignificante, come ti rende il passato quando non sai perdonarlo. Mi ha abbracciato con un po' di affetto e mi ha regalato due barattoli di confetture preparate in casa, ho comprato poi del pane, patate, una rapa, pomodori, latte, uova, del vino rosso. Abbiamo parlato dei miei genitori, della montagna, di suo marito che se n'è andato qualche anno fa. Un uomo robusto, alto e forte come un boscaiolo, la barba lunga e i modi rudi ma gentili. Sapeva fare tante cose, e amava i cavalli, ne aveva uno in un campo qui vicino, lo lasciava pascolare tutto il giorno e al tramonto andava da lui, lo accarezzava, gli parlava a lungo sottovoce, la fronte sul muso, poi gli dava la buonanotte e lo spingeva nella stalla. Non lo ha mai montato, diceva che non se la sentiva, gli sembrava una forma di scortesia per la bestia, così lo chiamava. La gente di quassù tratta spesso gli animali per quel che sono, lascia il pastore maremmano nella cuccia all'aperto in pieno inverno, e non c'è notte che non si senta nel silenzio degli abeti l'eco di un latrato, però con loro usa spesso gli stessi modi che usa in famiglia.

Qualche volta sono andata anch'io a trovare il cavallo senza nome, restavo aggrappata al recinto, guardavo da lontano quei due esseri così diversi intendersi con pochi gesti. La montagna ci ha messo poco a insegnarmi ciò che insegna ai suoi abitanti: fidarsi di chi hai accanto.

Il fornaio il suo cavallo lo chiamava bestia, ma lo considerava un suo pari.

Sul davanzale c'è una mosca morente. La guardo agitarsi, cerco di riprodurre sul foglio i suoi sgraziati movimenti, per non dimenticarla, non voglio rimuovere la sua sofferenza, quello sbattere ingenuamente le minuscole ali per tentare chissà cosa. L'insetto sta perdendo la battaglia contro il freddo, che arriva e non fa parte del suo tempo. Ognuno ha un piccolo spazio da abitare, la sua estate, alla fine della quale, amen.

Uscendo dal paese ieri mattina ho incontrato un ragazzo che caricava legname su un pick-up, mi ha sorriso e si è liberato del sudore della fronte con la manica di un maglione troppo stretto. La legna la porta il boscaiolo, che rifornisce le baite e i rifugi della zona, un vecchio che sta in piedi dritto e fiero come una quercia secolare e mi saluta ogni volta come faceva con mio padre, alza appena il cappello nel gesto dell'educazione.

L'aria era impregnata di concime, le nuvole basse toglievano il respiro prendendosi la cima delle montagne, e sotto gli scarponi il terreno colloso rendeva i passi pesanti. Ho lasciato la strada asfaltata e mi sono immessa nel sentiero che mi avrebbe portato a casa, man mano che salivo il cielo si apriva e lo sguardo recuperava spazio, la vallata si allargava e comparivano le vette più alte, già timidamente imbiancate. Le fronde smosse dall'autunno rumoreggiavano e nell'aria aleggiava l'odore della pioggia e dei funghi.

Ottobre sembra poco disposto a cedere il passo, il suolo era una macchia di muschi e foglie, sfumature di verde che si perdevano nel giallo, nell'arancio, nel rosso, nel marrone scuro. Gli alberi nudi mostravano il loro intreccio essenziale, i rami contorti come braccia avvolte al busto, nella posizione del riparo. Salendo ho raccolto dei funghi e il terreno mi è entrato sotto le unghie, che porto corte da anni. L'immobilità della montagna è apparente, è tutto un eterno fluire, un incessante movimento, la Valle si adatta al freddo che arriva, la vita muta per non soccombere. La foresta si prepara al riposo e cambia sé stessa e ciò che le appartiene, gli animali sono pronti al letargo, c'è chi lascia e chi resta, chi parte e chi ritorna. Il freddo cambia anche il mio corpo, il gelo mi ha impresso sulle mani le sue impronte di un rosso vivido, i polpastrelli sono carta vetrata, e abbondano di piccole lacerazioni.

Sono arrivata alla baita con il sudore che mi bagnava la schiena e i funghi nelle tasche, il cuore batteva la fatica dell'arrampicata e lo zaino pesante mi levigava le spalle. Ho ripensato al bel volto del ragazzo che caricava la legna con movimenti leggeri, nel tepore di una nuvola di concime, e ho sentito di essere già grata alla montagna, alla solitudine ritrovata, ho sentito di benedire l'autunno che impasta i colori.

Torno con lo sguardo alla mosca al limitare del suo tempo e mi rallegro del mio piccolo spazio da abitare, della fortuna di avere un inverno da attraversare, un'altra estate da attendere.

Novembre

Seduta sull'uscio di casa mordevo una mela, l'ultima luce del giorno tingeva le vette di arancio. D'un tratto un movimento ha rapito la mia attenzione e ho visto un animale non lontano, una volpe appostata ai piedi di un rovo lungo il sentiero che si perde nella foresta. La lingua penzoloni, guardava un po' me, un po' la Valle sottostante. Siamo rimaste a fissarci, immobili, poi sono tornata al frutto. Lei ha trotterellato verso di me, si è avvicinata col muso a terra, era magra e il pelo rosso evaporava in un grigio cielo lungo il dorso e sulla folta coda. Era interessata al cibo, ma intimorita. Ho evitato movimenti bruschi, ho allungato piano ciò che restava della mela e lei ha ondeggiato il capo, indecisa se compiere gli ultimi passi che ci separavano.

Ho pensato di parlarle sottovoce, un sussurro nel silenzio incantato dell'imbrunire per farla sentire a suo agio, recitavo la favola che mi raccontava mia madre, l'antica leggenda finlandese della volpe artica che correva fra le montagne innevate e che a un certo punto, stanca di tenere sollevata la coda, iniziò a trascinarla lungo il cammino, sollevando a ogni passo scintille di neve fresca. Le scintille volarono in cielo e diedero vita all'aurora boreale, che in finlandese è chiamata "I fuochi della volpe".

L'animale ha disegnato un cerchio nell'aria con la coda e

ha terminato un altro passo. Eravamo occhi negli occhi, i suoi erano del colore delle foglie dei castagni. Poi ha girato di scatto il muso verso la radura in fondo al sentiero, in stato di allerta, e con un balzo si è rifugiata nel bosco. Un rumoroso pick-up risaliva il sentiero, puntando dritto verso di me.

Il canto stridente di un gallo è giunto a togliermi dal sonno. Mi sono avvolta nel plaid per avvicinarmi alla finestra, il cielo era limpido, poche nuvole bianche correvano a mezza altezza e le cince saltellavano di ramo in ramo fra le conifere. Il sole colava dalle cime rocciose sui primi abeti del piano alpino del Monte, e li infiammava di luce.

La casa è ora calda, il boscaiolo è salito con il fuoristrada a portarmi il carico di legna, che non ho ancora accatastato. L'ho fatto entrare, ha voluto solo un bicchiere d'acqua e mi ha chiesto quanto mi sarei fermata. Gli ho risposto che non lo sapevo, ho intenzione di attendere almeno l'arrivo della primavera, lui ha sorriso ed è tornato a sorseggiare con gusto, assaporando l'acqua gelida sulla lingua, le guance scavate dal freddo. Mi ha detto che le baite nelle vicinanze sono ormai vuote, la gente a fine agosto rientra in città e si fa rivedere solo a dicembre inoltrato. Non sono molti nemmeno gli animali rimasti negli alpeggi, quelli a mungitura sono tutti scesi a valle. A venti minuti di cammino da qui c'è una stalla, d'estate il pastore ci porta le mucche e le pecore, e nel silenzio della notte a volte capita di sentire un muggito lontano.

La transumanza è la migrazione stagionale del bestiame, nei mesi caldi i pastori spostano gli animali in alta quota perché bruchino l'erba dei pascoli, e in autunno, all'arrivo del freddo, li riportano a valle. Ancora oggi in paese si organizza una festa per omaggiare l'antica usanza, l'allevatore in testa e decine di bovini e ovini al seguito che scendono dai monti con muggiti e belati, riempiendo l'aria del fragore dei cam-

panacci. Oggi purtroppo la transumanza si fa con gli auto-
mezzi, ma qui per fortuna è rimasta la tradizione di spostare
il bestiame a piedi, nonostante le lunghe code sulla statale e
la gente che impreca perché non sa aspettare.
L'attesa costringe all'ascolto, è vuoto non riempito, osservazione e silenzio, preparazione. È fatica.

La mattina al risveglio indosso la felpa col cappuccio e
accendo il fuoco nel camino con fogli di giornale e ramaglie
raccolte in giro, mi prendo il tepore delle fiamme, avvicino le
mani intirizzite e la pelle sembra creparsi come il legno umido. Poi mi sposto in cucina e rimango in ascolto del silenzio
del bosco che porta quiete, mi fermo a osservare la Valle e la
vedo screziarsi di colori tenui, mi perdo ad ammirare la macchia di larici lontani che hanno virato nel giallo, ritti come
pilastri di un tempio presto perderanno gli aghi in una pioggia d'autunno dorata. Scorgo il volo circolare di un'aquila
che sfrutta le correnti, l'orizzonte è una linea di cielo blu cobalto sulla cima delle montagne e mi mette in sospensione,
anche se qui non c'è possibilità di sperare nell'inatteso, qui
impari a dare valore a quel che hai, a conoscere ciò che ti
circonda. Quello che sta oltre il conosciuto è straniero.
E così è chiamato l'uomo che abita il rifugio dall'altra
parte della Valle. Dalla finestra della cucina lo vedo aggirarsi
sul versante nord della montagna, sbuca fra gli alberi e vaga
nella radura con indosso un vistoso giaccone rosso. Ha la
barba, ma non so dire di più, nonostante con me abbia un
binocolo non riesco a decifrarne i lineamenti, non capisco la
sua età. Il boscaiolo mi ha detto che viene da fuori, è arrivato
a fine agosto, ha comprato il vecchio rifugio e ora lo sta ri-
strutturando, vorrebbe aprire per la stagione invernale ma
chissà.
Il binocolo mi attende il pomeriggio sul davanzale della

31

cucina, lì dove era solito lasciarlo mio padre. Anche lui era sempre alla ricerca di un orizzonte da pregare. È buffo, sono salita quassù per trovare il mormorio della pace e il mio sguardo invece non riposa, vaga oltre e si perde a seguire le linee di confine, rincorre un uomo che, come me, in pace non sembra.

Ero sotto le coperte, immersa nel fioco chiarore di uno stanco lumino, fra le mani un libricino di papà sulla lavorazione del legno scovato nella sua impolverata libreria di faggio. Quassù gli piaceva darsi allo studio, specializzarsi, concentrarsi sulle piccole cose. La sua esistenza è stata una collezione di minuscole cose che servivano forse a riempire il vuoto lasciato dalle grandi, quelle tre o quattro che accadono nella vita di ognuno e che non sono poi così ingombranti da prendersi tutto. Le sue piccole cose adesso sono le mie, e stanno negli abeti che riecheggiano alla prima folata di vento, nel rintocco del picchio sul legno, nell'odore d'inverno che spira nell'aria la mattina presto, nella premura di chi non ti conosce, nella stipata borsa degli attrezzi che si porta dietro chi ha ancora interesse ad aggiustare, nella noia di una nevicata che porta candore.

Ero sotto le coperte, e il verso tondo e velato di un gufo ha attirato la mia attenzione. Amo i gufi, che non considero avversari, amo il loro volo silente, il saper stare su un ramo fino all'ora giusta, fieri e bizzarri, loro che non temono la notte e si mostrano controvoglia. Mi sono alzata, ho recuperato la trapunta caduta ai piedi della sedia a dondolo, ho infilato gli scarponi e seguito il richiamo. La mezza luna in cielo era sufficiente a rigare d'argento il profilo dei monti, attorno alla casa però il buio rodeva i confini, e la foresta era un'unica macchia di nero che rumoreggiava al pari di un operoso alveare. Il verso proveniva da dietro la casa, e lì l'ho trovato, appostato sotto le assi sporgenti del tetto, un gufo reale di grandi dimensioni rannicchiato nella posizione dell'attesa, le ali aderenti al corpo e i ciuffi sul capo abbassati. Mi è parso tranquillo, lo sguardo indolente di chi si sa forte anche davanti all'uomo, l'unica specie che lo minaccia. Chissà da quanto è qui, di certo da prima di me, che io sappia i gufi nidificano in primavera. E chissà perché ha scelto proprio questa casa, chissà da quanto mi osserva, e se con la sua acuta vista si è accorto della mia difficoltà del vivere, che si mostra agli altri nelle titubanze dei piccoli gesti quotidiani.

Mi sono allontanata cercando di non fare rumore, e prima di rientrare sono tornata a guardarlo, sembrava una macchia d'olio nel mare scuro, il piumaggio marmoreo che rifletteva la luna e sfumava nel marrone. Gli occhi erano due biglie che mi fissavano serie. La sua presenza mi fa sentire impercettibilmente protetta. Chissà da dove arriva, e perché si è trovato qui proprio ora, per quale movimento cosmico le nostre vite si sono incrociate in questa sera passeggera di novembre.

Una notte il rapace si alzerà in volo e scomparirà, un domani anch'io non sarò più qui, al mio posto forse un'altra anima solitaria, o gli occhi pieni di domande di un bambino. Un domani il tetto ospiterà altri uccelli in viaggio, e la casa sulla montagna continuerà a custodire vite. Questo minuscolo pezzettino di mondo sconosciuto ai più andrà avanti e l'incontro di una sera buia fra due esistenze in apparenza così diverse sarà stato solo uno dei tanti momenti insignificanti che il mondo archivia da qualche parte, fra le cose forse di poco conto, come un chiodo mezzo arrugginito che conserviamo nella cassetta degli attrezzi perché prima o poi potrebbe tornarci utile.

Ho speso l'intera mattinata ad accatastare la legna al riparo del tetto, lungo il muro della baita, ora attendo la stagionatura. Accanto al camino, invece, ho organizzato una catasta di legni piccoli, buoni per alimentare il fuoco. Ho usato il metodo dei ciocchi incrociati, come faceva papà, ho inserito cioè trasversalmente alcuni legni, per dare stabilità. Sudavo per mettere ordine e sentirmi a mio agio, la schiena doleva e le mani erano ferite dalle schegge, tanti piccoli insetti scappavano impauriti, disturbati nel loro vivere.

Lavoravo e riflettevo sui nostri comportamenti, su quanto incida l'ereditarietà e quanto invece l'ambiente nel quale cresciamo. Perché mio padre, le poche volte che si arrabbiava, andava a tagliar legna nel bosco, un tempo si poteva, e poi la sistemava in cataste perfette, e io lo guardavo faticare con solo una maglietta addosso, sbuffando a ogni respiro una nuvola di vapore. Sono passati tanti anni, eppure conservo ancora dentro di me, nei tessuti profondi e nelle arterie, il codice di quei comportamenti, che mi porta a riprodurli. È un impasto di geni e vita vissuta ciò che siamo, ciò che saremo, e una serie di impercettibili e impreviste complicazioni indirizzano a caso la nostra esistenza, rendendoci unici, e altro dai nostri genitori.

Pensavo a questo, e all'insegnamento di papà, che nei tempi di pace mi strizzava l'occhio nell'intervallo di un taglio, io che me ne stavo ripiegata su un ciocco al suo fianco, un rametto infreddolito d'inverno, il cappello di lana col pompon calato sulla fronte. Parlava con l'affanno in bocca, lui che amava giocare a fare il forte e che però forte non era, masticava aria per raccontarmi le sue storie di montagna, e chissà da dove arrivavano. E una volta mi spiegò che la legna da camino dev'essere tagliata con la luna crescente, perché le fasi lunari influiscono sulla circolazione linfatica dell'albero. Ho scoperto che sono in pochi a rispettare queste regole, anche il boscaiolo mi ha confermato che le ditte della zona non hanno il tempo di aspettare che la natura faccia il suo corso.

Ho cenato con una zuppa di ceci e fave, dalla casseruola

34

saliva l'odore buono dell'orto, mi sono accompagnata con crostini e vino. Ora sono davanti al camino acceso, imprimo sul foglio queste piccole riflessioni, annuso l'aroma denso lasciato dal cibo e quello del legno sulle pareti. Ogni tanto uno scoppiettio mi fa girare di scatto e riesco a scorgere una scintilla che scompare con un graffio nell'aria. Il tizzone soffre, crepita, ma non urla, il tronco si lascia vincere senza un lamento, arde e diventa cenere in silenzio. L'odore acre del fumo mi ha strappato la voglia di un altro bicchiere di vino, mi sono alzata e ho sturato la bottiglia, ho riempito il bicchiere a metà e mi sono persa nel liquido rossastro che colava sui fianchi del vetro, poi ho sfilato i calzettoni e ho poggiato i piedi sulla catasta accanto alla sedia a dondolo, il legno mi è così caro che mi sembra di avvertire una carezza calda sulla pianta. Il fuoco mi accende il viso, e il vino robusto fa il resto. Il torpore si prende quel poco di resistenza in me.

Mi conforta il pensiero di andare domattina per i boschi a raccogliere un po' di ramoscelli per il fuoco. Gli scricchiolii della casa scandiscono i movimenti del mio corpo che si abbandona al riposo della notte, negli occhi un unico minuscolo pensiero che si prende tutto per l'indomani.

Tentativi di pace.

Sono uscita presto con la gerla sulle spalle, la cesta di legno intrecciato a forma di cono rovesciato. Nel fitto bosco di abeti e larici veleggiava una nebbiolina lattescente, e il selciato d'aghi dorati cigolava soffice sotto il mio peso leggero. Nell'aria l'odore della neve che non c'è pungolava l'olfatto. Con mia madre raccoglievamo spesso la legna nei dintorni, e lei mi insegnava a riempire la gerla nel modo giusto, con il metodo conosciuto da chi abita la montagna: i rami più robusti sui lati, a costruire i contorni di una figura solida, poi i più piccoli, secondo uno schema concentrico. Seguendo le tracce del legno morto ho preso il bosco a salire, ma andavo così piano che il fiato è rimasto in equilibrio, non avevo occhi che per la vegetazione, le foglie stropicciate sul terreno, i sassi, le buche, i fradici tronchi, il muschio. Nel bosco non puoi starci solo con il corpo, devi metterci tutta l'attenzione possibile.

L'inizio del giorno era nello sbattere d'ali di un uccello, nel dolce mormorio delle foglie, nel cigolio dei rami piegati dalla corsa frenetica di uno scoiattolo, nel brusio degli insetti. Ho sostato lì dove gli alberi smettevano di rincorrersi e mi sono ritrovata a riflettere sul mondo distratto che ho lasciato a valle, su quanto sia impossibile oggi essere e restare in un solo pensiero, quanto sia difficile metterci concentrazione, ritagliarsi del tempo da dedicare a un'attività, seppure piccola come raccogliere ramoscelli per il fuoco. Siamo sempre in più cose contemporaneamente, deviati dal compito che ci spetta, incapaci di tenere il mondo fuori. Tutto è fuggevole e in continua espansione, non c'è spazio per l'osservazione e la conoscenza, per il sentire oltre che per l'ascoltare. Abbiamo occupato gli spazi con il frastuono della tecnologia, ci siamo presi il silenzio che non ci appartiene. La distrazione ruba lo sguardo, rende incapaci, insensibili agli impercettibili mutamenti che non ci riguardano da vicino. La distrazione ci fa egoisti. La pace delle montagne invece mi spinge in senso contrario, stimola in me la voglia di comprendere a fondo, minuziosamente, ciò che mi circonda.

Sono giunta senza accorgermene al limitare del bosco, oltre i duemila metri, lì dove gli alberi arrestano la feroce arrampicata per cedere il passo ai caparbi arbusti che non hanno bisogni, alle piante che si saziano di solitudine, qualche cembro, uno schivo abete, il robusto larice. Li vedi resistere su piccoli rilievi, orientati verso sud, per prendersi il sole più lungo. E però crescono poco, con difficoltà, gobbi e deformi si contorcono in pose da giullare ma non si spezzano, capaci di sopportare il peso della neve toccano terra con le fronde e stanno, uno addossato all'altro, uno proteso verso l'altro, in un costante tentativo di soccorso, si trasformano in mura impenetrabili che il freddo nemico non scardina. Sono i pini mughi, chiamati anche "arbusti nani", piegati dal vento resistono alle valanghe, e si servono del manto nevoso per proteggersi dal gelido terreno.

È una linea quasi orizzontale lungo le montagne, il limite del bosco, una frontiera invalicabile per molte specie, per alberi, animali e insetti, per l'abete, la formica e il coleottero, che non sanno far fronte al cambiamento. Visto da quassù, il confine non mette paura, non sembra nemmeno ostile, è solo una cima da raggiungere, un passo in più da compiere per godere di una vista diversa, la voglia di spingersi oltre e infrangere il limite imposto.

Ho appoggiato la gerla sul terreno, ho aperto le braccia e chiuso gli occhi per inspirare a fondo e cacciare il grido che mi abita dentro, l'urlo dell'uomo sulla Terra, un ululato che mi ha spezzato il fiato e lasciato priva di forze. Mi ha sostenuto un grosso masso, la montagna mi restituiva la voce, e il frullo d'ali degli uccelli che si allontanavano spaventati si è confuso con il sibilo affannoso dei miei polmoni.

È stato come il vuoto dopo l'amore, il respiro quando torni a galla.

Sul versante opposto del Monte un maestoso stambecco mi fissava incuriosito da uno spuntone di roccia.

Sono andata a cercare lo Straniero. Erano giorni che esitavo, ma poi è arrivata la prima neve, ha fatto tutto in una notte, ha portato il freddo in un'esplosione lentissima che al mattino aveva risparmiato solo la punta degli abeti. Cadevano oscillando fiocchi indecisi, si adagiavano silenziosi e vinti ai miei piedi, lì dove le impronte di una lepre scomparivano nella boscaglia. La Valle era muta, il bianco aveva portato altro silenzio dove non ce n'era bisogno. L'uomo dal giaccone rosso non c'era, il binocolo non mi poteva aiutare, la montagna era un'unica macchia densa di indefinito colore.

La mattina seguente ho riempito lo zaino con l'essenziale e mi sono messa in cammino alle prime luci. Alle otto ero già alla stalla, il ricovero per i bovini durante l'estate. La neve resisteva sul tetto e in qualche chiazza sotto gli alberi, dove non penetrava il sole. Il piccolo edificio in pietra ha preso il colore del muschio, sa di umido e mi ricorda la vecchia stalla che un tempo si trovava più a valle, dove papà mi portava a prendere il latte e la caciotta. Il contadino mi passava la mano indurita sulla faccia e sorrideva, gli uomini alzavano il bicchiere col vino rosso e la luce del giorno lo annacquava alla vista. Gesti sempre uguali che scavano nella memoria, come l'odore di concime delle mattine piovose, il fumo della legna che brucia, il profumo della rugiada dei campi bagnati che ci riportavano a casa, con sotto il braccio un pezzo di formaggio di capra.

Alcuni pali di legno erano accatastati a protezione dell'ingresso, ne ho scostati un paio e sono entrata, il sole era una lama che usciva dalle feritoie sul lato ovest e illuminava un rastrello nell'angolo. Tutto quel nero mi ha fatto pensare a un quadro del Caravaggio. Dal terreno saliva ancora l'inconfondibile profumo del fieno, l'odore che lega tutti gli altri quassù.

Ho impiegato più del dovuto per raggiungere il versante opposto del Monte, i sentieri sono pesanti, il terreno è cavo e ogni passo è una scelta, quella di continuare. La montagna nella sosta ti offre lo sguardo alla Valle sicura e alla cima, non ci sono altre strade, nessun dubbio all'infuori di scendere o salire. Ho deciso di salire, ancora una volta, e all'ora di pranzo sono arrivata nei pressi del rifugio dello Straniero, che vorrebbe tornare ad accogliere quelli di passaggio, quelli che salgono e basta.

L'uomo era accucciato fuori dalla baita a inchiodare

un'asse, e non mi ha visto mentre cercavo di recuperare tutto il respiro possibile. Il suo cane ha drizzato le orecchie e mi ha mostrato i denti aguzzi. Allora lo Straniero ha sollevato il capo e lasciato il lavoro, si è avvicinato. Nella luce brillante della tarda mattinata ci siamo stretti la mano a metà strada, mi sono presentata, le sue iridi scure erano una pozza di petrolio e riverberavano le cime innevate alle mie spalle, il cane mi annusava gli scarponi.

Ha il viso stropicciato dal sole d'alta quota, e la barba lunga di chi non vuole sprecare tempo gli dà l'aspetto di un feroce condottiero. Dev'essere sui sessanta, ha il capo riccioluto e grigio, un cerchietto al lobo e la corporatura esile che prende quelli in costante guerra, mi fa pensare a una libellula che sfiora saettando la superficie dell'acqua. Mi ha invitata a entrare, avevo il freddo addosso e il suo sguardo esperto se n'è accorto.

Il rifugio non è ancora pronto, ma la parte adibita ad abitazione è confortevole. Il camino era spento, e la sua voce roca si condensava rapida in nuvole di vapore. Sul divano nell'angolo ho riconosciuto il giaccone rosso, lui si è sfilato gli scarponi e si è messo a preparare il vin brulé, per riscaldarmi. Ha tirato fuori arance e limoni, ha tagliato le scorze e le ha messe in un pentolino che ha poi riempito di vino rosso, con l'aggiunta di zucchero e di un bastoncino di cannella. Mi ha parlato del suo progetto mentre girava il vino a fuoco lento con un mestolo di legno, della voglia che gli è presa di liberarsi dalle aspettative degli altri, del desiderio di accettazione che lo ha mosso, e di come abbia sentito il richiamo del bosco. Abbiamo sorseggiato la bevanda in silenzio, le mani a rubare il caldo della tazza, e lui mi ha sorriso nel tentativo di celare l'inquietudine di fondo che in verità me lo fa sentire amico. Non ha preso ancora i ritmi della montagna, è uno che nella camminata ha un presagio di spaccatura. Ma non gli ho chiesto nulla, qui il passato si lascia in pianura, si vive di giorno in giorno, come i bambini, che occupano il pomeriggio a rincorrere i grilli, senza altro nella testa, e se lo fanno bastare.

Mi ha detto che spererebbe di aprire per Natale, ma c'è ancora molto da fare. Poi salirà sua figlia, per aiutarlo con gli ospiti, che già lo chiamano. Lei ha l'età di mezzo, ho capito, quella che ti forma a colpi di errore. Lo Straniero parlava e non riuscivo a non fissargli alcune goccioline di vino rosso aggrappate ai fili bianchi della barba. D'un tratto mi ha preso per il braccio e condotto alla finestra, ha puntato l'indice verso il fianco della montagna prima di tornare a guardarmi con un sorriso che gli dava respiro, e non si è preoccupato di celare ai miei occhi la bocca nella quale manca un canino. Con il fiato caldo e aromatico mi ha spiegato che intende ripopolare di alberi il lato nord del Monte, proprio sulla testa del rifugio, che una frana qualche anno fa ha lasciato senza protezione. Non mi ha spiegato come intende fare, né gliel'ho chiesto, non mi ha detto il perché, non era necessario. Si sta prendendo cura della sua baita, farà lo stesso con la montagna. In un mondo che rinuncia a riparare, lui fa il contrario.

Il Cane mi ha scortato fino al termine del pratone con la lingua di fuori, il cielo aveva preso la gradazione dello zaffiro e il bosco era mosso da un vento senza odore, il freddo saliva dalla terra ma lo Straniero se ne stava sulla soglia del suo rifugio con indosso solo una maglia bianca e senza scarpe, mi sorrideva con la mano del saluto agitata nell'aria. Alle sue spalle il Monte aveva perso i colori, la vita era tutta al di qua, tutta dalla mia parte. Ho ricambiato il saluto e ho iniziato la discesa, le mani a tirare le bretelle dello zaino, che pesava sulla schiena.

A volte l'equilibrio si rompe e nasce una stella.

Io e lo Straniero abbiamo deciso in fretta di essere amici.

Le imposte battono mosse dal vento che sibila fra i cardini, indirizzo sguardi alla finestra, la pioggia è inafferrabile, scivola sul vetro e se ne va. Il temporale porta ricordi, e lumache, e pulisce tutto. Il cielo è nerofumo, il Monte dietro la finestra della cucina non c'è, al suo posto una nebulosa di lampi. Con mamma si stava abbracciate ad aspettare il tuono, e mi capita di pensare che è la pioggia a farti mancare le persone, la pioggia avvicina e spinge a condividere spazi e attese. Il picchiettio scrosciante sulle tegole ha la voce di un ritmo tribale, mi domando se il Gufo sia riuscito a ripararsi in tempo, se almeno il temporale gli incuta timore. La giornata corre stanca, indugio sulle parole, l'indice chiude la curva più semplice sul vetro appannato e forma un cuore, quello che disegnavo da bambina. Me ne libero con il dorso della mano, cerco il bosco con gli occhi e mi soffermo su una foglia solitaria sul terreno, piegata dall'acqua non oppone resistenza.

C'è stato un tempo nel quale andavo incontro alla tempesta, incantata dai bubbolii lontani sulle cime mi preparavo ad accogliere la pioggia, come quella foglia perduta. Avevo in me la voglia dei fiori caparbi, di crescere sola, in mezzo alle erbacce. Mi facevo selvatica, e il Monte mi guardava prosperare sorridendo.

L'acqua non si fa neve, l'inverno ci mette in attesa, e penso allo Straniero e al suo rifugio, schiacciato in un groviglio di fulmini. Il vento è un lamento cupo, un dio pagano che borbotta e al quale gli alberi si inchinano, e mi fa sentire uccello ferito fuori dal nido. Mi stringo nel plaid, provo a scrivere, a fingere che il suono del bosco sia amico, mi immagino lupo che domina gli istinti, che non cerca compagnia quando sente la fine. Ritorno alle parole di mia madre, che mi ripeteva sempre di stare attenta solo alle paure della veglia.

Il temporale mi ha ceduto un cielo cristallino, con poche nuvole bianche che non hanno fretta di andare. La temperatura è calata, ma la neve non c'è. La Valle sul fondo ha colori netti, l'aria è assenza di sfumature. Lo Straniero è ricomparso sul solito versante col suo giaccone rosso, e la cosa mi dà sicurezza. Sto scrivendo nel bosco, in riva al ruscello che mi ha accolto bambina, l'acqua scorre tra rivoli e gorgoglii imperversando sul granito millenario e si fa spuma bianca sui bordi dei sassi. Mamma qui si fermava a raccontarmi la storia del masso che si stacca dalla roccia e rotola a valle, per adagiarsi, spossato, sul bordo del fiume, ad aspettare che la corrente lo porti via. Finché un giorno di piena accade, il sasso conosce l'acqua che modella le sue asperità, e con il tempo prende la forma di una biglia, si copre di muschio, e poco alla volta va dove il ruscello vuole portarlo, fino al mare, sprofondando nell'abisso che frena la luce. E qui, viandante in attesa, torna ad aspettare che la corrente lo riporti in superficie. Quando infine arriva alla spiaggia, in un risvolto di tempo che non conosciamo, si è fatto granello fra i granelli, il suo viaggio è terminato, ma lui non lo sa. E continua prudente ad attendere.

Mamma conosceva le acque di questa terra, sapeva da dove venivano e dove andavano, amava vederle passare senza disturbare il loro corso. Io invece le ho raccolte nel cavo delle mani per dissetarmi, e ho pregato per lei a modo mio, con un respiro appena percettibile, rimasto per metà nei bronchi, e in quel soffio di nulla mi sono inchinata al formicolare del bosco.

L'alba ferma il vento, sembra portare segreti. Ho aperto la porta di casa e un abbozzo di sole già carezzava il bosco. L'aria conteneva un avvertimento, il presagio di qualcosa che deve arrivare, la giornata era ancora tutta in quell'energia compressa. Ho preso a camminare alla rinfusa, attenta ai mille canti degli uccelli, seguendo sentieri che non esistono, piccole tracce lasciate dai funghi e dal muschio sulle cortecce umide del mattino. Un capriolo ruminava confuso fra i rami, da dove veniva la luce, e l'aria era piena del fischio delle marmotte, che annunciavano la mia presenza. Quando sono rientrata erano appena le otto e la domenica mi ha trovato impreparata, già avvezza a vivere senza contare i giorni. Ho pensato allora di recarmi al rifugio, dallo Straniero, invece sono andata in paese. Sulla strada un trattore tambureggiava imprimendo strisce di fango all'asfalto, in uno slargo ho incrociato il gioco di alcuni bambini e il ricordo si è preso il fiato. Il vento è tornato portando aria diversa.

Ho comprato un cesto di mele, delle carote, broccoli, noci, quindi ho seguito il dondolio inquieto della campana che chiamava la gente al raduno. La piccola chiesa era gremita, i fedeli sedevano silenziosi in attesa, lo sguardo all'altare disadorno, alcune donne anziane ripetevano sottovoce le preghiere ereditate dalle madri. Con passo incerto mi sono diretta verso la Madonna, una statua lignea della Vergine con il Cristo morente in grembo. Era avvolta in un insolito abito scuro su una sottoveste bianca, colori che gli intarsi del legno non avevano trattenuto. Ho allungato la mano verso di lei, madre che protegge la sua carne, non avevo nulla da offrirle, niente da chiedere, non so pregare al modo dei cristiani, i miei non mi portavano a messa, lui aveva poca fede, lei ne aveva una tutta sua. Io sono cresciuta nella crepa di mezzo, tra la diffidenza di lui e il senso di gratitudine di lei, e non ho elaborato spiegazioni, non so credere, so come non credere.

Ho raggiunto il sagrato prima che il parroco iniziasse la funzione, attraversando la piazza ho pensato che non sono mai nata come madre, a nessuno ho dovuto dare amore non meritato. Sono stata allieva in questa vita, mai maestra. Alla locanda c'erano poche persone, le guance hanno preso subito il rosso del camino, ho ordinato una birra e mi sono seduta dietro una finestra, il giaccone piegato sulle gambe, la schiena al muro di pietra. Usiamo mattoni levigati, intonachiamo e stucchiamo, tiriamo linee dritte e tetti regolari, ma un muretto a secco ci commuove ancora, e una parete senza intonaco ci fa sentire a casa. Mi è presa la smania di calcare un solo pezzetto di terra, e averne cura, e credere che sia immortale. E mi rassicura l'idea del ritorno, anche se non è mai uguale a sé stesso.

In un angolo la televisione muta rimandava immagini di caos, alluvioni, smottamenti, piogge torrenziali, paesi devastati, gente che piangeva. Ero troppo distante per leggere i sottotitoli, perciò mi sono dedicata alla birra. Il tepore dell'ambiente mi infondeva una piccola felicità passeggera, come il sole sulle spalle in un giorno freddo, il locale si andava svuotando e salivano in superficie rumori e odori della cucina. C'era un telefono sul bancone, ho pensato di chiamare in città, ma non l'ho fatto. La vita di giù torna ogni tanto nelle notti fredde, ma non ho pentimenti, nessuna esitazione, continuo a servirmi dell'idea di disimparare, per fare cose nuove. Una ragazza con i capelli corti rossi e una coppola di traverso si è avvicinata con un sorriso e mi ha chiesto se desiderassi qualcosa da mangiare, ho ordinato del pane nero con le uova, lei ha sgombrato un tavolo dagli avanzi prima di tornare al banco, da una donna più giovane di me che ha chiamato mamma. La donna ha annotato qualcosa su un foglio, la testa piegata di lato, i capelli color rame alla spalla, poi è rientrata in cucina e la figlia l'ha raggiunta, e hanno riso per qualcosa di infinitesimale, e nel loro linguaggio domestico c'era l'intimità di due corpi nutriti dal medesimo sangue. Le spiavo da lontano e sentivo anch'io il desiderio di appartenere profondamente a qualcuno.

La piccola televisione continuava a mostrare in silenzio la pioggia che fa danni, intanto la porta d'ingresso ha tintinnato per un uomo pieno di freddo nei movimenti, che è entrato con il saluto solo accennato di chi sa di essere atteso.

Mi si è aperto un sorriso sul volto, era lo Straniero.

La Volpe è tornata a trovarmi, nel suo mantello color ruggine e con gli occhi pieni di indulgenza è tornata a guardarmi, cauta. Era già venuta in queste notti, ho avvertito nell'aria il suo odore acre di urina e sterco, ha lasciato sul terreno impronte impavide e il solco di una pista, sempre la stessa, con la quale si è avvicinata come un randagio nell'intraprendenza della fame. È giunta con un guaito stridulo nel punto morto della sera, quando il buio porta le storie e un abbozzo di tregua. Ho raccolto un po' di frutta in un piattino, l'ho lasciato sulla porta, quindi mi sono seduta su un mezzo tronco a qualche passo, nella posa incerta di chi non sa trovare equilibrio nell'attesa.

L'animale stavolta è avanzato trotterellando storto sul fogliame, poi ha rallentato e il movimento felpato da predatore lo ha recuperato all'oscurità. Ha poggiato sul piatto il muso affusolato e ha annusato il cibo prima di addentarlo. Le sue mandibole masticavano voraci, scrocchiavano prendendosi il poco silenzio, la bocca piena di gusto perdeva saliva, e io sono tornata a pensare allo Straniero, che è entrato nella locanda e ha ordinato una grappa, e quando mi ha vista ha sorriso e mi ha raggiunto con il cigolio del legno sotto gli scarponi. È uno che riempie i vuoti, lo Straniero, ingombra non con la mole, solo con la presenza. Si è seduto di fronte a me e ha discorso a spizzichi dei lavori che gli restavano da fare su al rifugio, e sul volto aveva la contentezza che viene dall'impegno delle mani. È tornato a raccontarmi della figlia, e allora ho capito che spesso i figli non ti fanno fallire nella vita. Ha consumato la grappa in due sorsi, il fiato caldo che sapeva ancora di fiori e frutta, e mi ha sfiorato la mano con la sua, un gesto che mi è sembrato consapevole. Un altro sorriso gli ha dato colore, e mi ha parlato ancora di piantumare il fianco della montagna con gli abeti, ha detto che era sceso in paese proprio per ritirare una prima parte di semi. Alternava parole a silenzi, come chi non ha l'abitudine di confidarsi, e io mi chiedevo quanti anni avesse, quanti più di me, e cosa vedesse

45

in me che io non vedo. Parlava con l'indugio fra le labbra screpolate, senza domandare di me. In lui semplicemente non c'è l'urgenza di scoprire le vite altrui, quella che muove chi è in fuga, stanco. E questo me lo fa apparire innocuo. Abbiamo risalito la montagna fianco a fianco, nel suo incedere inquieto e nello sguardo sfuggente ho visto un emarginato, come me non ha potere che su sé stesso, è perciò senza peccato. Non è voluto entrare in casa, doveva riprendere il lavoro, approfittare delle ultime ore di luce, mi ha promesso che tornerà.

La Volpe, il frutto ancora tra i denti, ha sollevato il muso d'improvviso, le orecchie tese all'ascolto, lei capace di udire la talpa sotto il terreno è scivolata schiva fra i cespugli confondendosi col buio e il suo calpestio indistinto ha risuonato per un po' nell'ombra.

Dicembre

Sono quassù da quasi due mesi e capisco solo ora quanto il bosco in questo tempo mi sia stato amico. È piombata di nuovo la neve, portata dal vento freddo che soffia dalle montagne, è caduta in diagonale, togliendo respiro e forza alla Valle, si è mischiata al terreno e lo ha fatto suo. Ha portato il bianco e sigillato le cose. Poi è scesa l'apnea, la foresta aveva il fiato trattenuto, il tonfo di una pigna caduta su una zolla libera è sembrato echeggiare e mi ha rapito la voglia di raccoglierne. Come un tempo, ho seguito le tracce dell'abete rosso scendendo fino al sottobosco del piano montano del Monte, lungo il versante in ombra, il fianco a nord esposto alla tramontana. Con mia madre recuperavamo dal terreno i frutti delle conifere per farne infuso, li strofinavamo sotto l'acqua così da liberarli dal terriccio e dalla resina, poi li mettevamo a bollire insieme al limone in un recipiente di alluminio. Nell'attesa l'aria di casa si riempiva di bosco e io ne approfittavo per tirare fuori dalle tasche i tesori raccolti lungo il cammino, foglie secche, sassolini, rametti, bacche. C'è nei bambini l'impazienza di trovare un posto alle cose cadute, di recuperare alla vita ciò di cui la vita si disfa. Nel mio girovagare fra gli alberi avverto oggi l'antico pizzicore ai muscoli addominali nel piegarmi sul terreno, il desiderio di raccogliere e fare mie, e riparare, le pigne senza più un ramo, i sassi senza la roccia, i legni privi del tronco, naufraghi di terra ai quali lanciare la mia ancora.

E così la bufera mi ha colto intenta a radunare gesti antichi, e non mi sono accorta dei segnali che la montagna mi lanciava, il vento si era alzato, la temperatura scendeva e la foschia del fondovalle risaliva rapidamente, nel cielo erano comparse nuvole nere che pesavano sulle cime ghiacciate. In un attimo il mondo attorno a me si è fatto opalescente, le abetaie indietreggiavano allo sguardo, ammutolite, il paesaggio era un'idea svanita. Ho tentato di ritrovare la strada perduta, ma non mi orientavo, la neve era un muro invalicabile, ho cinto l'abete in primo piano e ho inspirato a occhi chiusi, la fronte sulla corteccia, respira e stai calma, mi dicevo. Un grugnito improvviso mi ha destata, a qualche metro da me un cinghiale grufolava nella neve in cerca di ghiande, il corpo un ammasso di fibre tese. Attraversava la tempesta senza apparenti ferite, e non sembrava essersi accorto della mia presenza. Mi sono appiattita sul tronco e ho atteso il respiro mentre lui, incurante, esplorava il terreno col muso, essere millenario che tace il suo sapere. Si è allontanato dandomi la schiena, la nebbia lo ha inghiottito nel tempo di un movimento, e a riempire lo spazio sono rimasti solo i suoi sbuffi d'ira.

Il vento mi sbatteva in faccia la neve e mi bagnava i capelli, mi sarei dovuta accucciare ai piedi dell'albero, invece ho tentato di risalire verso casa, e d'un tratto ho messo il piede in fallo, una buca forse, il terreno umido è franato e il Monte mi ha tirato giù con sé, di nuovo a valle, una caduta senza schianto, come il dondolio dolce della piuma nell'aria, finché ancora un altro albero ha bloccato la mia discesa. Il colpo mi ha tolto l'aria per il tempo dello stupore, poi è arrivato il dolore muto, la schiena bruciava di sangue, le gambe battevano la paura. Mi sono rialzata di scatto, il ghiaccio aveva occupato le pieghe del mio corpo, ero fradicia ma non sottostavo alla forza respingente, cercavo il riscatto della ferita attraverso la battaglia.

La piccola frana aveva mischiato neve e terra, sassi e radici, mi aveva reso orfana di appigli, la tempesta mi aveva sconfitta. Mi sono rannicchiata accanto al larice, iniziavo a sentire freddo e il buio incombeva, c'era il rischio di non riuscire a tornare a casa per la notte. Il corpo mi chiedeva calore e si preparava a resistere quando dal chiaroscuro è emersa la luce di una lampada, e una figura minuta racchiusa in un cappotto color pesca, scarponi gialli, berretto scuro che aveva la forma di una pera, mi ha teso una mano ossuta per guidarmi con la sicurezza di chi conosce il buio. La montagna insinuava in me la speranza restituendomi i colori morbidi dell'autunno. La casa in pietra ci ha tolto dalla bufera, e il mio sguardo ha cercato subito il fuoco nel camino. L'ambiente sfumava nella tinta confortevole dell'ocra, l'aria sapeva di campo, una pentola capovolta sul piccolo lavello, una pila di libri sul tavolo, un gatto bianco acciambellato sul bracciolo della poltrona, dettagli che mi parlavano di riserbo. La donna si è tolta il cappello scoprendo un batuffolo grigio di filigrane e un volto leale occupato da rughe che raccontavano di espressioni perdute. Mi ha tirato per un braccio accanto alla fiamma e mi ha aiutata a sfilare il cappotto e gli abiti, quindi mi ha lasciata in compagnia del gatto, e quando è tornata aveva con sé un barattolo che spargeva nella stanza l'odore acre della natura. Mi ha strofinato l'unguento sulla ferita che le avevo mostrato, e poi siamo rimaste lì, in un silenzio che non portava imbarazzo, ad aspettare che il dolore passasse.

Così ho conosciuto la Guaritrice, come da sempre la chiamano in paese, nell'attesa interminabile fra una tempesta e l'altra.

La tempesta ha fatto il suo volere e poi ha taciuto, l'aria è ora limpida e immobile, la montagna appare svuotata della

51

sua forza. I tronchi ondeggiano impercettibilmente e le foglie perdono residui di ghiaccio, una pioggia fine e incolore che riverbera senza bagnare. Il terreno imbiancato ha conservato il passaggio di una lepre, e l'ho immaginata sostare davanti a casa nell'avvicendarsi fra la notte e il giorno, ritta sulle zampe posteriori ad annusare l'aria per poi fuggire a piccoli balzi. Uno scoiattolo ha abbandonato la sua tana, l'ho visto saltellare fra i rami prima di atterrare con movimenti che lo rendevano indaffarato. Aveva in sé la delicatezza dei gesti, avvolto nella sua coda vaporosa appariva buffo ed elegante, e suscitava istintiva simpatia.

La Guaritrice l'altra sera mi ha accompagnato a casa, non so come ma sapeva dove abito, mi è sembrato sapesse anche chi sono, da dove vengo, io di lei so quel che si dice, che è muta dalla nascita, e che da ragazza ha perso un figlio venuto più per indolenza che per passione. Da allora abita poco il paese, dialoga col bosco e comprende il linguaggio delle piante, sa raccogliere i funghi, e conosce pozioni che leniscono i mali. Le ragazze della Valle la cercano sempre per scelta di qualcun altro, quando devono togliersi la gravidanza, lei fa loro da infermiera e consigliera, coltiva le erbe e trasmette la calma che frena il pianto. Le mancano dei denti in bocca, ha il mento aguzzo, gli occhi tondeggianti, la pelle del colore del legno secco e la schiena curva, la forma è quella dell'arbusto esposto al vento. Odora di muschio e porta il terreno sotto le unghie, mi ricorda un'erbaccia mai strappata via. C'è nei suoi movimenti un sapere antico, è più fattucchiera che maga, manipolatrice della natura, ha in sé la libertà di chi fa il giusto e può dire no. Qualcuno la chiama strega, ma della strega non possiede il fascino, è invece madre nel pensiero, nel garbo degli occhi, la conosco appena ma mi fa sentire di nuovo figlia, di nuovo protetta.

Ci siamo messe in cammino all'imbrunire, quando la tormenta era già altrove. Il bosco era un baluginio di occhi che ci scortavano prudenti, il vento ancora tintinnava fra gli alberi e le nuvole in fondo trovavano l'ostacolo dei monti. La luna era da qualche parte, e con i suoi decori calmava la mia agitazione, rendeva conosciuto il bosco. A casa ho trovato la cura dell'acqua calda, e poi del fuoco, mentre la Guaritrice in cucina si incaricava del mio bisogno di sentirmi sazia preparando una zuppa. Tagliava il sedano a rondelle sottili con movimenti precisi, il crepitio del camino al mio fianco era un suono solido e riparatore, avvolta in una coperta le fissavo le spalle minute e non sapevo cosa dire, non sapevo arginare il dolore che quella donnina minuscola e folle, con le sue attenzioni, mi rimandava. C'è in lei la rassegnazione di chi non è stato nella vita, ma anche la sapienza di chi ha saputo apprendere dal niente. Ha lanciato lo scalogno in una padella con l'olio, prima aveva sminuzzato le patate, poi ha aggiunto anche il sedano, l'aria ha preso l'odore di inverni passati. Non ha voluto unirsi a me, mi ha detto con le mani che era tardi, mi ha visto sedere e ha sorriso al mio sorriso. Si è tirata la porta con misura, come la brezza estiva nella calura pomeridiana, ed è sparita nel bosco.

D'un tratto ero di nuovo sola, di nuovo a casa. Il brodo di un verde intenso scottava il palato e mi riscaldava. Le assi della casa stridevano contente. Avrei dovuto chiederle di rimanere, ho pensato, prima di cedere al sonno.

La mattina seguente sono tornata da lei.

La voce sussurrata di papà giungeva a spezzare il sonno migliore, la mano mi scuoteva cortese la spalla per avvisarmi che era l'ora. Nel silenzio ombroso della camera compivo pochi movimenti, sempre quelli, per essere pronta, poi raggiungevo la cucina e lo trovavo con il viso alla finestra, a spiare la prima luce del mattino. Caricavamo gli zaini in spalla e filavamo via, a rincorrere la giornata, a prenderci la calma del

53

lago. Oggi sono voluta tornare a specchiarmi nelle sue acque senza corrente, sono tornata a sentirne il respiro, come mi ha insegnato lui. Ho sostato sulla riva nell'ora del riposo, la superficie era un blocco levigato di argilla che rifletteva i colori del giorno, le vette spumose che il vento d'inverno non disperde. Ho tirato le ginocchia al petto e le ho trattenute con le braccia, nella posizione dell'attesa, poi è giunto il boccheggiare di un pesce lontano, e subito dopo il volo radente di un insetto, una crepa ha bucato l'acqua e il lago ha rimboccato i suoi confini con una piccola onda giunta a me in punta di piedi, silente come il battito.

Per arrivare sin qui bisogna attraversare il fianco del Monte e ridiscendere verso valle, oltrepassare la conca e risalire dall'altro versante, serpeggiare sul falsopiano e quindi inerpicarsi lungo un sentiero che si svela ai piedi di una piccola fontana di pietra, la cui vasca conserva l'acqua gelida per il viandante. Sono tornata a stringere le labbra al suo getto, come la bambina che puntava i piedi per dissetarsi, ho riempito la borraccia e mi sono rimessa in cammino con l'acqua che ancora mi sfuggiva tra le dita. A millecinquecento metri appare un pianoro erboso che ospita le greggi durante i mesi caldi, e in un abbeveratoio secco ho incontrato la malinconia delle estati perdute. Ad accompagnarmi nella salita c'erano gli abeti bianchi, e nell'aria il bramito dei cervi e il grugnito dei cinghiali. Sono entrata in una grande faggeta, nell'intrico della foresta che mi appare ogni volta senza fine, e ho tolto l'affanno accanto a un tasso dal tronco tozzo e ramoso e dalla chioma verde scuro, mentre con gli occhi cercavo radure. Ho seguito il cammino tracciato dai taglialegna e ho recuperato infine aria alla vista, dinanzi a me si è aperto il lago che mi custodisce sottovoce, come un tempo.

Mio padre qui si concedeva di vivere d'impulso, tirava fuori dallo zaino l'attrezzatura e si dava paziente alla pesca della trota, cercava l'insperato nel quotidiano lasciandomi ostaggio sulla sponda a far domande, nell'età del dubbio. E se non le ottenevo mi allontanavo nella protesta, lui rideva, io tenevo il broncio e mi dedicavo ai fiori, imparavo a disobbedire in assenza di ordini, e in quell'eco leggera di ribellione mi sentivo divina.

Qua e là nel vuoto bianco la danza di una pernice vestita a sposa mi rassicura, uno stelo piantato nella neve dondola al vento invernale di questo primo pomeriggio e mi parla di come sopravvivere alla vita che fa resistenza. A volte si tratta solo di non riempire il vuoto a tutti i costi, di scegliere di non volere niente dalla vita e accogliere la paura che non ha motivo.

Mi sono calata il cappello sulle orecchie, l'aria fredda mi inebriava di ricordi che mi fanno sentire viva, mi regalano l'appartenenza che non ho mai avuto.

In un baule ho ritrovato il vecchio telescopio di papà e sono uscita a osservare le stelle, cercavo una religione, io che non ne possiedo alcuna, se non la consapevolezza di dover onorare il sacro che c'è in me. Ho puntato l'obiettivo verso il Grande Carro che ruota lento sulle nostre folli vite, un insieme di astri guidati dalla stella polare, non la più luminosa dell'universo, solo il più immobile fra i punti, che ha l'accortezza di star fermo a indicarci la direzione perduta. Il cielo mi ha lasciato indietro mentre cercavo di convincermi che la mia felicità non è uno scopo comune, solo una piccola cosa che riguarda me, e me soltanto, e che sentirsi parte del tutto è un buon modo di venire a patti con l'esistenza.

Il verso del Gufo dietro casa mi ha destato, ho tolto lo sguardo alle stelle e mi sono diretta da lui, punto di contatto con la parte più misteriosa della natura, che con occhi notturni mi scrutava dal suo giaciglio. Proprio nella costellazione dell'Orsa Maggiore c'è un gruppo di stelle chiamate "Nebulosa gufo" per la particolare disposizione degli astri, che ricorda la testa del rapace. Ho letto che in Cina i giorni del Gufo sono i giorni perfetti per forgiare le spade, mentre per gli aborigeni il gufo rappresenta lo spirito femminile, e per gli indiani d'America protegge gli uomini durante la notte. Con la cautela che serve per avvicinare chi è selvatico mi sono mossa, temevo si alzasse in volo e mi rendesse sola. Invece mi ha lanciato uno sguardo e ho sentito mia la sua assenza di turbamento. Era però vigile, ha staccato un artiglio dalla pietra, a un passo dall'agguato, forse percependo la presenza di un roditore, poi è tornato in posa lentamente, con la grazia delle cose belle. Mi osservava di sbieco e si teneva pronto a spiccare il balzo, era in procinto di vivere e cantava all'alba prima che l'alba arrivasse.

La sua pacata compagnia mi restituiva il valore dell'allerta, della sospensione prima del cambiamento, mi ricordava la goccia di rugiada che lascia imprudente la foglia.

Lo Straniero è tornato. Ha fatto la sua comparsa alla fine del sentiero col solito giaccone rosso, in testa un berretto bianco, trascinava un piccolo abete che sollevava polvere di neve al suo passaggio. Con lui c'era il Cane, indifferente alle cose dell'uomo trotterellava col muso a terra in cerca di invisibili tracce. Eravamo a un passo dall'ora calda del giorno, il freddo mi aveva sorpreso presto nel letto con un pizzicore, quando i primi raggi di sole sciolgono la brina stesa a intorpidire le cose.

In cucina cercavo nel tè un principio di calore, e la sagoma dello Straniero d'un tratto si è presa tutto, ho riconosciuto in me il desiderio di andargli incontro, e mi sono stupita. Mi ha sorriso da lontano, il fiato grosso lo precedeva, e aveva nel passo l'ostinazione di chi non sa trattenersi. Ho alzato il braccio in segno di saluto, ma già mi dava le spalle per tirare l'albero con entrambe le mani, si faceva strada con la forza del mattino, mi è parso sussurrasse sottovoce la sua fatica. Credo sia anima preda della necessità di trovare un significato.

È entrato in casa come il vento di tempesta, ha portato freddo e odore di bosco, l'abete lasciava tracce di terra sul pavimento. Il Cane alitava di curiosità intorno a noi, si muoveva nella stanza ticchettando sulle zampe. Lo Straniero ha appoggiato l'albero alla parete, mi ha spiegato che l'ha trovato sradicato nella foresta e ha pensato al mio Natale, dopo le feste tornerà a prenderselo per ripiantarlo. Parlava e io gli guardavo le mani, mi ha detto che per inizio anno conta di terminare i lavori su al rifugio. Gli ho offerto dell'acqua, lui mi ha confessato la sua fame, e abbiamo riso. Dallo zaino ha preso un cesto intrecciato per me, mi ha raccontato che al nonno ha rubato i movimenti giusti per realizzare cesti e gerle con il legno di salice, e che ci si dedica la sera, sotto un lumino, fa lavorare le mani e il corpo e la mente riposano, non chiede altro. Mi piace chi cerca di mettere insieme le cose, di dar loro un altro senso, chi recupera. Ho poggiato il cesto sul tavolo e l'ho riempito di mele che portavano altra allegria.

Il maglione a collo alto spezzava la barba dello Straniero, sulle guance conservava il rossore della camminata, nei gesti tradiva la gentilezza ereditata. Ho preparato due panini col burro e il salame, lui intanto si guardava intorno e carezzava il Cane per rabbonirlo, ha sbucciato un frutto e mi ha offerto uno spicchio fresco dalle sue mani, e mi è sembrata solo premura. Ho portato sotto il braccio una bottiglia aperta di vino rosso e siamo usciti all'esterno per sederci sui ciocchi di legno, a prenderci il sole buono, che ci riscaldava il pasto come non avesse altri compiti. Lo Straniero ha ripreso a parlarmi del progetto di rimboschire la montagna, vuole realizzare una grande abetaia lì dove non c'è più. Raccontava e lasciava briciole sulla neve, cedeva ogni tanto il boccone all'amico seduto al suo fianco, aveva in bocca l'urgenza della condivisione e non faceva in tempo a masticare. L'ho ascoltato senza guardarlo, come è permesso con chi ti fidi, mentre mi soffermavo sulla prima luce del pomeriggio che tratteggiava una linea d'ombra sul fianco delle montagne. Poi ha terminato le parole e il brusio del bosco ci ha zittiti, il Cane si è accucciato ai piedi della catasta di legna, il sospiro parlava per lui. Finché è risuonato nell'aria il fischio di un merlo, atterrato a pochi passi seguitava a fissare il tozzo di pane nelle mani dello Straniero, alternando entrambi gli occhi alla vista. Non mostrava paura, si avvicinava con la spavalderia dell'innamorato, e nei saltelli goffi nascondeva movenze da birbante. Il Cane ha sollevato la testa nella posa dell'attenzione, lo Straniero ha lanciato una mollica sulla neve e il merlo ha riconosciuto la sua piccola opportunità, ha stretto il cibo nel becco ed è sparito lontano.

Ho riempito il bicchiere al mio amico con il vino di fine bottiglia e abbiamo bevuto senza sete, toccando i calici nel segno del brindisi.

A me, a lui, a chi ti viene a cercare anche quando ti nascondi.

Dall'albero giunge l'odore della resina che splende sulle pigne e lega le dita. Ho scelto di dedicare il pomeriggio a decorare l'abete con i frutti raccolti nei dintorni, e ho trovato la calma che viene dal recupero dell'essenziale. Fuori scendeva la neve che non si sente e occupa la notte, la neve che porta tempi lunghi. Sarei voluta tornare dallo Straniero, ma era impossibile, così mi sono impegnata a respingere la paura dei conti che non tornano, quella che non ha motivo apparente. Ho scelto di deporre le armi e non procurarmi battaglia, cerco la pace che segue la sconfitta, non la rassegnazione ma la ricompensa. Sono animale che torna al nido.

Il fuoco sfrigolava nell'angolo, il buio dalla finestra mi

parlava di cose possibili, nessuna certezza. Ho speso il tempo del pasto a osservare le ombre del bosco, a cercare dettagli lì dove non ce ne sono, ho avanzato con lo sguardo a tentoni, mi sono persa nel senso di sbagliato che rimanda l'oscurità. Un vecchio cassetto conservava le lucine di Natale, le ho avvolte all'albero e ho infilato la spina nella presa, mi sono lasciata trasportare dal bagliore blu che rischiarava a intermittenza il soffitto e mi faceva sentire vecchia, forse inadeguata. La nostalgia ha nutrito la mia sera e mi ha procurato il rimpianto di quello che non c'è più, il desiderio di ciò che era. Il tempo lontano dell'infanzia mi ha inferto la ferita di chi viene tradito, d'un tratto ero di nuovo bambina che ama e non si chiede il perché. È un dolore strano il ricordo, è abbraccio che toglie l'aria, carezza che graffia, è immaginazione senza via di fuga, c'è anche quando sembra non esserci. Il Natale è un incontro con la memoria, ci porta a casa, inevitabilmente.

L'altro giorno mi sono imbattuta in una coppia di anziani francesi, erano nel mio bosco, li ho trovati nell'ora sospesa del crepuscolo, appoggiati a un larice si sostenevano l'un l'altra con le mani intrecciate, erano smarriti e sul volto avevano il grido strozzato. Proseguivo nella foresta senza mete da rincorrere, li ho avvicinati quando il sole era già un vuoto da colmare, la luce un velo perlaceo disposto sulle cime. Lei aveva preso una storta nella neve ed era caduta, aveva la caviglia gonfia, si è lasciata toccare senza imbarazzo, i nostri silenzi si sono parlati. Lui mi ha mostrato il telefono, musicava la sua lingua fatta di abbozzi e tremori, l'ho aiutato a soccorrere la compagna, ci siamo incamminati in tre con l'andatura dello zoppo, dando le spalle alla Valle e il sostegno delle braccia alla donna ferita. La sera già amplificava i nostri passi e il buio era nell'aria quando abbiamo raggiunto la casa della Guaritrice, che ci ha accolto con la consolazione primitiva del cibo. Il gatto non si è fatto trovare, io non ho chiesto, guardavo lei china sul piede della turista e mi prendevo il calore del fuoco dopo la camminata. Terminata l'ispezione, la Guaritrice ha estratto della polvere scura da un sacchetto e l'ha versata in una ciotola, che poi ha riempito d'acqua. Mescolava con pazienza, nelle movenze l'abitudine a sfidare la vita, nello sguardo la resistenza che la rende dura come il mulo, ostinata nella perseveranza che non si pone domande. A volte le leggo negli occhi un poco di pazzia, ma non mi fa paura. Il fuoco nel camino teneva insieme la stanza, l'imbarazzo dei due francesi impreparati alla montagna era tutto nello sguardo che si scambiavano quando potevano. La Guaritrice ha compattato l'impacco di argilla sulla caviglia della donna, ha massaggiato lentamente e l'ha fasciata. Nell'aria aleggiava il sentore di una domanda, il sospetto che sale a volte dal silenzio, il respiro affaticato della Guaritrice era patina sulle cose.

Abbiamo atteso il soccorso alpino senza forzare le parole, la stanchezza e la lingua ci hanno fatto arrendere presto, i francesi avevano la cortesia eccessiva nei modi, un'elegante indifferenza, e ci siamo lasciati da sconosciuti.

L'orologio sul camino registrava con il suo tic-tac il passo del tempo, la Guaritrice mi ha ordinato col capo di sedermi al tavolo, ha preso un legno dalla gerla e ha riavviato il fuoco, quindi ha aperto il frigorifero. Il gatto è sbucato da sotto il divano e mi è saltato sulle ginocchia. Abbiamo cenato nell'ora buia della notte, con lardo, pane e caciotta su una tovaglia a quadri che si è riempita presto di briciole, il vino al centro, fra me e lei. Non abbiamo cercato un modo per comunicare, non ce n'era bisogno, la tavola apparecchiata per tutti i giorni e il profumo di formaggio ci facevano da confessore, mi parlavano di solitudine e dignità, e mi facevano sentire benvoluta.

Ho preso sonno sul divano accanto al caldo buono del

fuoco che si andava spegnendo, l'aria aveva l'odore del fumo in eccesso. Sulla guancia la coperta di lana pungeva e si prendeva tutte le paure bambine, il vento della sera scuoteva le deboli finestre, il gatto acciambellato ai miei piedi occupava un vuoto del mio corpo e mi dava il senso del rifugio, le gambe tirate al grembo, il rumore della vecchia che lavava i piatti. Neanche un accenno di estraneità accanto a me.

Stamattina mi sono svegliata col grido del maiale. La Valle aveva addosso l'odore di festa, vestita di sereno rideva da prima mattina giocando con i suoni, e mi ha restituito un rumore antico e beffardo, l'urlo umano del porco che muore. Mi sono alzata, il freddo della casa rendeva muti i miei sbadigli, una flebile luce bianca si muoveva sul profilo delle persiane, ho cercato il nutrimento dell'aria buona e ho aperto il vetro, e ho visto lo Straniero col giaccone rosso girovagare sul pendio lontano. Il sorriso inaspettato mi ha dato ulteriore respiro. Più su la seggiovia è tornata a condurre gli uomini alla montagna, sulle piste dell'altro versante. Il grande portale di roccia del Monte sembrava eroso dal cielo azzurro che lo sovrasta da millenni, a breve il caldo arriverà a liberarlo dal ghiaccio, il mondo finirà nel fuoco, come è iniziato, e a maggio gli uomini torneranno a farsi strada ai suoi piedi, a lottare con la vetta per una promessa da mantenere. Qualcuno ci riuscirà, altri saranno rifiutati, nessuno si permetterà mai di odiare il Monte per questo.

In estate, da piccola, a volte andavo dal contadino al limitare del paese, portavo festante le carote al maiale nel porcile, che prima di accettarle le passava al setaccio col muso umido, lasciandomi sulle mani una traccia argentea che toglievo con la manica del giubbino. I suoi occhi per un istante ricambiavano i miei, e mi sembrava che mi restituissero l'amicizia. Trovavo in lui l'attenzione che non trovavo negli adulti, ci scambiavamo gesti lenti, e io mancavo di parole, assorbivo il suo odore e facevo mia la sua fetida patria, e imparavo a conoscere l'idea della morte. Poi arrivava il giorno della macellazione, in pieno inverno, così che le basse temperature aiutassero a mantenere la carne. Iniziava il rito pagano e l'animale si faceva capro espiatorio, questo è il mio corpo offerto in sacrificio per voi, il vento ghiacciato del mattino trasportava la sofferenza della bestia e asciugava le lacrime dei bambini. C'era allora nei genitori la volontà di non difenderli, di proteggerli dal male più grande con il male più piccolo. I contadini erano ai miei occhi soldati che non conoscono il valore, combattenti senza nemici, erano fratelli di sangue, l'unione regalava loro il coraggio, ma non l'onore, compivano gesti senza condanna, uccidevano per abitudine. Gente con poco da offrire alla storia, se non il rispetto dei propri riti, si facevano forza l'uno con l'altro e la violenza sembrava loro un diritto.

La porticina del porcile si apriva con un cigolio e compariva la vittima sacrificale, il cibo per gli ammalati, la morte che salvava il mondo, e nella Valle si disperdeva il suo terribile grido, si ficcava nelle menti di quei bambini costretti a guardare per ignoranza adulta. Un laccio alla zampa e un colpo secco alla tempia, e la bestia domata sprofondava nella neve, a tingerla di rosso, e io tenevo il respiro dentro e sentivo nel petto il tonfo cupo del cuore. Il silenzio era l'istante che segue le cose rotte, poi le grida degli uomini, gli ordini, il corpo dell'animale issato a testa in giù con un trattore, le campane occupavano l'aria. Lo scannatore ha nella mia memoria le fattezze del teschio, la pelle del volto indurita e negli occhi la destrezza del boia, affondava la lama nella giugulare del porco e il fiotto di sangue spruzzava la neve rimasta vergine, la terra inviolata era violata, il rito compiuto. La fine portava la festa, il maiale si svuotava goccia a goccia, in chiesa il prete issava il Cristo infreddolito sulla croce e dava l'ostia ai credenti, le strade si riempivano, sulla terra bianca la chiazza rossa si stendeva con la lentezza delle cose passate, e il mio sguardo non trovava rifugio.

Lo Straniero è arrivato col primo canto degli uccelli, quando il giorno è ancora tutto da fare, aveva dormito in paese e stava risalendo al rifugio. Mi ha portato uova fresche e latte appena munto, sono entrata nel suo abbraccio con un solo passo. E poi una carezza mi ha scoperto impreparata, mi sono allontanata, lui si è preso la cucina senza chiedere, ha sparso nell'aria l'odore della frittata e riempito la casa di rumori impercettibili, gli stessi che da bambina mi sorprendevano ancora nel letto. Mi ha accolto a tavola con la voce bassa, misurando i gesti. Abbiamo fatto colazione insieme, e all'inizio mi è sembrato troppo. Aveva la luce del mattino alle spalle e mi faceva ombra, parlava delle ultime alluvioni in pianura, guardava l'albero di pigne quando mi ha chiesto di salire al rifugio per Natale, a cenare con lui. Il sangue ha scelto prima della bocca, ho detto sì, mi basta l'istinto a decidere, vivo con furia pacata adesso, senza la necessità di spiegazioni a me stessa.

L'ho salutato dall'uscio e l'ho accompagnato con gli occhi lungo il sentiero, aspettando che entrasse nella montagna, quindi ho sparecchiato e acceso il camino. Mi sono stretta in un maglione bianco e ho trovato l'incanto in un ragnetto al di là del vetro che ondeggiava sul suo filo di seta rischiarato dalla brina. Forse stanco dell'attesa nel gelo, di rimandi al futuro, si arrampicava nel silenzio con passi da scalatore. Io ero dentro e fuori, piena di altrove nella mente, guardavo a metà. Ho pensato di regalare al mio vicino una casetta per gli uccelli, da appendere su uno degli alberi del rifugio. So come costruirla, lo facevo con papà, un tempo. Così mi sono mossa verso il bosco in cerca di legni, le mani anticipavano le gambe poggiando leggere sugli antichi tronchi, quasi a chiedere il passo. Nella camminata ero energia libera, sentivo l'urgenza di vivere, l'euforia che toglie la prudenza, nell'andatura un accenno di esultanza e nei movimenti l'inizio di una deviazione. La foresta rinnovava la mia promessa di pace, l'anima si faceva portatrice del piccolo prodigio che c'è in me, non amore, per carità, non ci si può innamorare quando si è soli, è desiderio di rendere condiviso il senso di perfezione che mi abita quassù, mescolare ciò che mi riempie con ciò che riempie gli altri.

Alla fine, credo sia questo il senso.

Un pino cembro malandato ha fermato il mio impeto. Svettava nell'aria fredda il suo scheletro secco, ho riconosciuto in lui la resa delle armi, l'armistizio che porta l'oblio, la pace cattiva, era mausoleo inaridito, avanzo di vita, come la ragnatela vuota fra la legna accatastata. Ho raccolto due rami nella gerla, a casa ho recuperato la sega e sui ciocchi ho tagliato le assi, sulle quali ho disegnato la sagoma della casetta a misura. Poi ho levigato i bordi con la carta vetrata, ho usato il trapano per bucherellare l'apertura di ingresso, la colla per attaccare i pannelli laterali alla parete posteriore, i chiodi e le viti per il pannello frontale, ho piallato il tetto, e pensato al fondo, sul quale ho fatto dei piccoli fori per consentire il drenaggio dell'acqua. Ho infine agganciato il fil di ferro a forma di uncino all'apice della casetta, così da poterla attaccare al tronco, a un'altezza di almeno due metri, per evitare i predatori. Scostavo con il dorso della mano le ciocche di capelli sudati, le dita erano appiccicose di colla, ho terminato la costruzione in due giorni, ho riempito l'attesa delle feste dando lavoro alle mani. Ho messo insieme le cose, come piace allo Straniero.

Il Cane ci ha portato al rifugio per la via più breve, fiutava il sentiero e rabboniva le ombre con il fermo abbaio. Lo

Straniero mi è venuto incontro fra gli alberi del bosco, ho sentito prima il respiro affannato del suo animale e poi eravamo insieme, abbiamo lasciato perdere le parole e ci siamo tenuti la mano per il tempo dell'accenno. Siamo saliti a conquistare la vista ampia, lo spazio che affaccia sul Monte. Il fiato corto chiedeva aria, e i movimenti si sono fatti attenti per la strada che ancora ci aspettava, le caviglie affondavano nella neve e il vento toglieva il ghiaccio agli abeti. Non ho fatto impronte, ho seguito quelle dello Straniero, per non lasciare ricordo del mio arrivo, non cercavo testimoni. Un'occhiata alla cima mi ha avvisato di una volpe lontana, le zampe corte e il muso proteso, ci fissava dall'alto con occhi pieni dell'ultimo sole. Ero distante, ma credo fosse lei, l'animale coraggioso e sfuggente che di tanto in tanto viene a trovarmi in cerca di cibo. Lo sguardo al terreno per recuperare aria ai polmoni me l'ha tolta alla vista, quando sono tornata a osservare la vetta lei non c'era più.

Il rifugio nell'ora prima del buio aveva l'alito della montagna addosso, il granito rosa del massiccio sopra di noi cedeva grazia, ma la sua ombra si prendeva i dettagli cadendo storta sul versante, sulla casa dello Straniero. Ho atteso che lui aprisse stringendomi nelle spalle, il Cane cercava nella neve poco più in là, il cielo si era fatto di ruggine. Ho pensato al Natale di città, alle strade colorate e rumorose, alle famiglie riunite, avevo il freddo dentro, mi sono infilata nella tana del mio ospite e il presagio del baratro si è dissolto. L'ambiente era caldo, la tavola apparecchiata in modo semplice mi ha restituito il senso dell'accoglienza, nell'angolo un abete spandeva odore di resina. Il Cane ha puntato la ciotola dell'acqua ticchettando sul legno, lo Straniero ha attizzato il fuoco e mi ha riempito un bicchiere di vino rosso, la notte prematura aveva coperto la Valle di scuro e i vetri ci rimandavano riflessi. Nella stanza si respirava il profumo inebriante dell'inizio, eppure la casa si lasciava profanare dalla mia velata malinconia. Abbiamo brindato all'intimità, lui ha occupato i fornelli e io mi sono seduta davanti al camino, a prendere il caldo in faccia. Il Cane mi fissava da lontano, guardingo. Dopo un po' sulle guance avevo il rossore buono del vino, il crepitio della legna mi dava sollievo, ero pronta a prendermi quel che sarebbe arrivato di inaspettato, io che non ho difese inespugnabili da alzare.

Lo Straniero aveva preparato polenta e formaggio, e spezzatino di carne, e per finire anche uno strudel. Ha portato tutto insieme in tavola e di volta in volta mi ha riempito il piatto, mentre chiedeva di me. La sua era gentilezza, non galanteria, e mi ha fatta debitrice, mi leggeva negli occhi e fuggiva via, a occupare l'imbarazzo col cibo. Si preoccupava di avere cura e non chiedeva che io me ne accorgessi, mi sembrava avesse la capacità di non dire le cose sbagliate, non sprecava parole quella sera, mi nutriva di sorrisi. Gli ho raccontato un poco di me, ma deve avermi visto in difficoltà e si è messo dalla mia parte, è tornato a parlarmi della figlia, che forse verrà solo in primavera perché deve dare degli esami, e sul suo viso rivolto altrove ho trovato un punto di rottura che me l'ha reso bello agli occhi. Alla fine della cena si è alzato e ha sfilato un pacchetto da sotto l'albero, che mi ha porto con un gesto disordinato. È un'antica cartina della zona, con segnati i sentieri e le piste oggi in parte perduti, dice che l'ha rinvenuta in uno degli scatoloni ammonticchiati nel sottotetto, e che gli piacerebbe un domani riprendere questi vecchi percorsi, semmai con l'aiuto del Comune. Gli ho consegnato la casetta per gli uccelli, raccomandandogli di fissarla in alto sul tronco, e lui mi ha preso di nuovo la mano credendomi sorpresa e trovandomi invece pronta. Mi ha portato nel suo laboratorio, nella parte di baita ancora da fare, e il freddo è tornato a pungere in faccia. Sotto il tavolo da lavoro c'era una stufa a legna, il pavimento era un morbido tappeto di trucioli, il legno di scarto era ovunque, fascine, listelli e qualche panca, arnesi, chiodi e martelli, barattoli stipati su mensole approssimative, nell'aria l'odore della colla. Su un lato della parete erano impilati cesti di ogni tipo e dimensione, ha preso delle fascine e si è messo a intrecciare, mi mostrava i movimenti, e non so quanto tempo è passato, mi sembravano gesti semplici e gli sono andata dietro, seguivo le sue mani, il volto vicino al suo, aveva l'alito caldo di vino. Siamo rimasti a intrecciare in silenzio, lavoravano le dita, come aveva detto, noi riposavamo. Quando ho sentito la stanchezza negli occhi, il cesto era ancora all'inizio, l'ho conservato nello zaino, per continuare a casa, e poi eravamo all'esterno, nella notte, a puntare gli astri. Sulla neve indurita è arrivata la tenerezza di un bacio, e il bosco mi è parso zittirsi, i lupi tornare alle tane. Una mia risata soffocata ci ha separato, la sua barba era solletico allegro sul contorno delle labbra. Lo Straniero mi ha preso una mano e se l'è portata al viso, io ho cercato la luna col bordo degli occhi, non volevo offenderlo, ma non volevo neanche l'abbraccio rassicurante, non ho pretese di accudimento.

All'amore siamo giunti senza un respiro, quando non avevamo più di che baciarci. Per lo scampolo di ferocia che ci abitava abbiamo unito i corpi senza essere nudi, ma il pudore mi ha trovato vigile. Lo Straniero cercava in me l'incastro perfetto, invece mi scorticava a ogni movimento, scoprendomi incapace di aderire a un corpo che non mi appartiene. Le sue mani erano graffi che riaprono cicatrici, i baci sembravano morsi, si prendevano l'aria intorno, mi è parso che potesse tirarmi via anche la pelle, sentivo il labile dolore del male che non arriva mai e tiene solo in allerta. Lui aveva negli occhi la fame che fa uscire l'animale dalla tana, mi sono alzata, non posso più essere seme che nutre gli altri, vivo per sottrazione ora, per farmi protetta, e mi scavo lo spazio che serve a rimettere a posto i pezzi.

Mi ha trovata davanti al camino, la coperta sulle spalle tratteneva calore e tristezza, non ha detto nulla, è rimasto in piedi accanto a me, a prendersi la carezza della brace morente. Gli ho allungato il plaid, mi ha sorriso nel silenzio attorno a noi.

Cammino sola sulla Terra, e lo Straniero ha deciso di tenermi ugualmente compagnia.

Gennaio

Il cielo di questi ultimi giorni è pieno di azzurro, e la foresta sembra in ascolto. La neve attorno a casa mi fa prigioniera, ma è soffice e trattiene di mattina ciò che l'attraversa la notte, la ritrovo piena di impronte, e tracce, e mulinelli, brulicante di piccole vite che pure lasciano il segno, cambiano le cose con il solo esistere. So riconoscere il passaggio degli abitanti del bosco, distinguo l'orma del lupo da quella del furetto, il coniglio dal cervo, l'orso dalla lince. C'è un tasso che si aggira la notte solitario, a piccole tappe, la neve mi dice delle sue soste e delle unghie lunghe, il luogo deve appartenergli, avrà costruito qui la sua tana, scavato arterie nella terra. Il tasso tramanda la tana di generazione in generazione, ha anche lui poco altro da offrire a chi viene. Ho atteso il suo arrivo nel buio accanto alla finestra, scrivendo del Natale con lo Straniero, il freddo gelava il terreno e la casa lottava. Mi chiedo cosa stia cercando il piccolo mustelide, se abbia cuccioli da proteggere, se l'inverno lo abbia colto impreparato, o se a spingerlo sia solo la delusione di non essere abbastanza, come è stato per l'uomo delle caverne, se sia mosso dal vano desiderio di trovare ciò che non gli serve, di non sprecare nulla del suo tempo. A volte qualcuno decide di non restare e si prende così anche i bisogni incompiuti degli altri.

Degli esseri inconsapevoli mi commuove la capacità di

stare in attesa, la vita ormai ha spiegato anche a me come fare, così ho aspettato, finché due minuscoli occhietti hanno baluginato nell'oscurità, al limitare della foresta. Mi sono spinta sul davanzale, il tasso si è avvicinato, il muso spruzzato di bianco e il grigio addosso, aveva preso il colore della montagna. Ha sollevato lo sguardo verso di me, i suoi occhi hanno saputo resistere ai miei, e non c'era sfida in noi, solo la consapevolezza di essere ugual cosa, spirito di meraviglia, possibile nell'impossibile. Poi si è girato e ha proseguito a scoprire la notte, io sono andata a dormire.

Ho ancora da raccontare dei giorni delle feste. All'alba del 25 con lo Straniero abbiamo scelto il sentiero che prosegue oltre il rifugio e raggiunge la seggiovia, volevamo prenderci il Monte prima degli altri, gli sciatori e i turisti. Il cielo aveva un colore indeciso, il giorno e la notte erano la stessa cosa, siamo saliti sul fianco in ombra della montagna, era molto freddo e guardavamo l'orizzonte aspettando che il primo sole venisse a scaldarci. Il vento si intrufolava negli spiragli dei giacconi, lo Straniero subiva la natura con pazienza e continuava caparbio, gli andavo dietro e sentivo il rischio concreto di diventargli amica. Sotto i nostri piedi il pendio aumentava, diminuivano gli abeti, affioravano i sassi nella neve, la scia di un animale alla ricerca tagliava la strada ai pali della teleferica. La montagna ci intimoriva con la sua maestosa impalcatura, ci faceva discepoli muti.

Per raggiungere la croce della vetta più bassa c'era da camminare, abbiamo seguito il tracciato di un'antica mulattiera, lo Straniero mi ha dato da bere dalla sua borraccia, sopra di noi un lembo di cielo correva e le nuvole procedevano d'istinto, noi cercavamo il confine, le cose nette, lo sguardo alla valle nuova, sul cammino un rudere mutilato reclamava l'ultima attenzione. Sospeso sul fianco sinistro del Monte c'era un muretto in pietra che costeggiava il sentiero addentrandosi in un rimboschimento di abeti, un grosso sasso sdraiato in obliquo sul fianco del Monte ci ha fornito il ristoro, lo sguardo alle cose amate e nessuna parola superflua. Poi siamo tornati a salire, l'una dietro l'altro, col passo della processione, e abbiamo raggiunto la cima quando il sole era a mezzogiorno e la croce non faceva ombre sotto di sé. Dietro di noi un'altra valle si restringeva, un pugno di case in pietra sparpagliate fra i monti, e poi solo foreste e scarpate di roccia. Abbiamo scorto il rifugio là, in fondo, lo Straniero ha puntato il dito indice e quel lembo lontano di terra ci ha sorriso, e mi è parso di sentirlo mio. Lui è tornato a parlarmi degli alberi da piantumare, la mano che seguiva la linea della montagna, ha descritto la grande abetaia che sarà e negli occhi aveva l'impazienza, le parole gli fluivano nel tempo di un respiro, sembrava fatto di tempesta.

Sarei potuta andare avanti, invece siamo tornati indietro, l'approdo alla vetta aveva tolto in noi l'ambizione, siamo rientrati in pace, senza lasciare altro che impronte. Il tracciato a scendere appariva differente, ripido e malsicuro, ci ha riportato infine in una faggeta e da lì ci siamo ricongiunti al sentiero che fiancheggiava la parete scoscesa del Monte, dove la neve non attecchisce e rotola a valle. Un gruppo di stambecchi aggrappati alla roccia brucavano arbusti secchi e ci offrivano gli occhi guardinghi di chi sa poco. Qualche maschio fiero ruminava indifferente, le potenti e lunghe corna nodose ricurve riferivano di un'età piena. Il nobile animale è pronto per il periodo dell'amore, e i piccoli nasceranno a giugno, col favore del tempo.

Con lo Straniero ci siamo separati in un abbraccio benevolo, un cerchio perfetto al termine della mulattiera. L'aria pungeva e nelle narici si era accumulato tutto il freddo raccolto, lui mi ha chiesto di tornare, l'ho baciato sulla guancia senza rispondere, un baratto incompiuto, poi ero già sulla via di casa, come sempre incantata e respinta da chi pretende di darmi amore. Il bosco sembrava espandersi al mio passaggio e mi invitava a respirare l'aria buona del giorno appena trascorso.

La vita in paese è altro, sembra poca cosa al viandante, a me appare fin troppo piena. Ho trascorso giù la notte di San Silvestro, ero scesa per dei rifornimenti, il cielo ha virato nel nero tempesta con poco preavviso, le cime borbottavano in lontananza e il bosco sopra di me era una fiaba cattiva. Ho pensato allo Straniero e alla Guaritrice, al Gufo reale e alla Volpe, ma non ho fatto in tempo a rientrare, la neve è arrivata violenta, scivolava sul fianco del Monte e precipitava a valle di traverso, ti prendeva le guance dal basso e tagliava la pelle, ti spingeva a celare il volto. Cadeva senza poesia, girava su sé stessa in gorghi che il vento portava subito altrove. Nella piazza l'acqua della fontanella era un rivolo di ghiaccio sospeso, ho contato i passi dei vecchi che si allontanavano, nella camminata avevano la desolazione di chi campa senza passioni.

Il mercatino artigiano lungo la via principale mi ha colta impreparata, bancarelle di luci, suoni e odori scintillavano nella neve, ho comprato un cartoccio di caldarroste e ho avanzato distratta, c'era chi vendeva saponi e candele, chi miele e confetture, chi vasetti di ceramica, gioielli di bronzo e rame, qualcuno lavorava il ferro. E poi c'era un artigiano del legno che esponeva cesti, gerle, ma anche spade e archi, e davanti a lui ho fermato l'andatura incerta, nei canestri esposti sapevo vedere i movimenti delle dita che li avevano realizzati. L'uomo mi ha chiesto se desiderassi qualcosa in particolare, ho fatto cenno di no col capo, sentivo improvvisa la tristezza del mancato ritorno a casa, la nostalgia di un Natale felice passato troppo veloce. La figura dello Straniero chiedeva spazio dentro di me, e non ero pronta a concederlo. Non è più venuto a cercarmi dopo la camminata, e io senza volerlo mi ero messa in attesa.

Ho trovato riparo alla solita locanda, e recuperato un po' di calore nella cortesia delle persone, le poche che non hanno casa, come me. La ragazza con la coppola mi ha fatto sedere, alla madre, la Rossa la chiamano, ho chiesto una stanza per la notte, mi ha offerto anche la compagnia della sera. La televisione in fondo questa volta celebrava la fine dell'anno già arrivata per la parte di mondo che non sentiamo nostra. In disparte, un operaio rumoreggiava con una birra che gli faceva da cibo, sui pantaloni le tracce bianche della fatica, il volto sconosciuto aveva le fattezze dell'amico e l'approssimazione della miseria. Stava nel dignitoso silenzio che porta la stanchezza del lavoro onesto, gli ho sorriso sfilandomi i guanti, lui ha alzato il bicchiere in segno di condivisione ed è tornato allo schermo. Ho chiesto anch'io una birra, che mi è scesa in gola fredda e amara, e mi sono fatta da parte, ad ammirare indifferente la bufera e a ricordare i giorni tutti uguali, gli anni dell'arrabbiatura, del lavoro e della disperazione, quando mi appariva fuga il tempo della sigaretta, a metà turno. L'operaio si è voltato per chiedermi se fossi io quella che vive su, l'ultima arrivata, ho annuito e lui non ha sentito il bisogno di aggiungere altro, aveva parlato più per garbo che per curiosità.

Ho cenato al tavolo di persone che non conoscevo, ho preso abbracci che non erano miei, ho ricambiato e dato una mano in cucina, ho trovato consolazione in un pasticcio di lasagne con funghi, gorgonzola e pistacchi, spilluzzicato un piatto di polenta e radicchio, ho cercato l'ubriacatura a piccole dosi, mi sono incantata nel lavoro delle mie mani che rendevano tondo un avanzo di mollica, e mi sono persa nel gioco dei bambini sottrattisi alla tavola per troppo entusiasmo. Avevano sguardi gioiosi, di chi è stato amato bene. La fine dell'anno mi ha colto sola in mezzo agli altri, come capita a tanti, col pensiero a mia madre, che passata la mezzanotte da un minuto cercava la pace dell'indaffarato, metteva a posto le cose e taceva le sue mancanze. Nessuno la scorgeva nella festa, sapeva farsi invisibile fra gli invisibili, e a me da allora è toccata la maledizione di percepire l'urlo silenzioso dei vinti.

Poi è arrivata la gente del paese, a omaggiare l'anno nuovo e le due giovani donne, madre e figlia, che hanno dentro la forza della montagna e tirano avanti da sole il mestiere del loro uomo, scomparso troppo presto. Gli anziani hanno aperto bottiglie e celebrato la nascita, cercavano, come tutti, ancora un inizio, altri equilibri. Erano alfieri pronti a morire senza morte, parlavano con gesti vivaci di promesse e speranze, in cuor loro aspettando che la vita li facesse re senza corona dei giorni a venire. Ho salutato e sono salita in camera, mi sono fatta piccola nel letto, con il lumino sul viso e l'assenza dello Straniero negli occhi, e ho dormito l'intera notte del sonno caparbio dei bambini sul divano della festa.

La mattina sono scesa presto, e fra i tavoli già ordinati ho trovato l'odore che fa stare bene, quello del pane appena sfornato. La Rossa era al suo posto dietro il banco, mi è venuta incontro con il sorriso della sera, il grembiule bianco sporco delle ditate del giorno prima, mi ha offerto una crespella al miele, un uovo sodo, dello speck e tre fette biscottate con un velo di marmellata di fragole. Poi si è seduta, il palmo della mano a coprire la guancia destra, e mi ha guardata mangiare. Nel silenzio che portano solo certe mattine, ho trovato la calma serena. La tavola si è riempita di briciole, lei mi dava compagnia senza chiedere altro in cambio, il suo volto paffuto non mi parlava di solitudine o disperazione, ma della buona giornata dopo la buona giornata, che ti porta la pace lunga, quella di pochi.

L'ho salutata piena di gratitudine silenziosa, con l'arrivederci di chi parte, fatto di dolce pena, e sono tornata a casa, a sentire il tempo del battito nel mio petto.

La Volpe è tornata a farmi visita, è arrivata prima dello Straniero, si è presentata col passo sveglio della paura e ha ficcato il naso in casa dallo spiraglio della porta, lasciata socchiusa per distrazione. Me la sono trovata davanti all'improvviso, al ritorno dal bagno, le pendeva una mia scarpa dalla bocca, mi ha visto ed è saltellata via, fuori, stava col muso al selciato e le orecchie abbassate, si mostrava resa ma nello sguardo spuntava comunque un accenno di sfida. Ho azzardato un movimento e lei ha mimato il salto della fuga, ne ho azzardato un altro e la Volpe stavolta è rimasta. Ho coperto la distanza che ci separava a piccoli passi, l'animale si fidava e sembrava volermi offrire la medicina del gioco. Sono giunta a prenderle la scarpa che stringeva in un morso debole e lei se l'è lasciata sfilare dalla bocca, e ho capito di poter tentare l'allungo della mano, ho raggiunto il delicato pelo del dorso lisciandola piano. Mi sono raccolta davanti al suo respiro, il suo odore selvatico evocava inverni lontani, passati con tutte le loro promesse. L'animale non cercava i miei occhi, si prendeva il conforto della carezza e alleggeriva senza saperlo il mio peso, pretendeva l'attenzione prima ancora del cibo, che mi ha strappato poi di mano avida per masticarlo con la foga che suggerisce l'istinto. Il secondo pezzo di carne l'ha invece trattenuto fra i denti ed è fuggita via nel bosco, e prima di scomparire alla vista si è girata col pasto dei figli in bocca, a dirmi grazie con lo sguardo. Ma è lei ad avermi dato la sua fiducia, a me spetta la riconoscenza.

Un'aquila reale sorvola la Valle, plana lentamente sulle pendici delle montagne e cala fulminea tra gli alberi. Ci incontriamo la mattina, all'ora della colazione, gli occhi la cercano al di là del vetro sporco del mio fiato, nella bocca ancora il sapore amarognolo dell'orzo. Mi assomiglia, anima solitaria che edifica il nido al riparo sulle vette, si aggira maestosa nel cielo che nelle prime ore ha il colore della roccia, copre traiettorie circolari e sempre uguali con la nobiltà che le appartiene di natura, appare e scompare nella foschia che addormenta il paesaggio, come il faro lontano per i naviganti, mi prende lo sguardo. La nebbia arriva al tramonto con il silenzio furtivo del predatore, stagna nell'ora dell'alba sul terreno gelato, va via con il sole della merenda. Nei giorni di sereno mi trattengo alla finestra, aspetto che sull'altro versante arrivi lo Straniero, la sua macchia rossa sulla neve disegna ampie curve, mi racconta della frenesia di chi vuol costruire perché si scopre d'un tratto mortale. Ravviva l'entusiasmo e le energie, il mio amico, progetta il rifugio e la montagna per gli anni a venire. La sera di Natale, immobile nel letto, mi confessò che gli alberi li vuole piantare per rendere sicuro il fianco del Monte, ma anche e soprattutto perché è un gesto buono per un domani buono, perché la costruzione di una casa porta in sé la malinconia della fine, interrare il seme invece traccia un punto ulteriore, contribuisce al flusso dell'abbondanza, è credito di prosperità, partecipazione alla crescita. Grazie agli alberi la montagna trattiene il terreno, il bosco cresce rigoglioso e toglie dall'aria il silenzio della roccia, si fa riparo per scoiattoli, cervi e insetti, nasce la foresta che alberga l'energia della partoriente.

E proprio dalla foresta stanotte arrivava l'ululato atavico del lupo, la sua insofferenza alla luna, il richiamo ai più forti di farsi guerrieri che resistono all'inverno e cacciano all'unisono. Il lamento dell'animale mi toglieva il riposo, sono tornata a ravvivare il fuoco nel camino e il tizzone arroventato si è spezzato in due sotto la spinta del ferro, poi sono uscita nel buio a cercare l'amicizia del Gufo, la sua saggia calma che infonde forza e serenità. Ma il rapace non c'era, e ho sperato che fosse a caccia, e tornasse da me, c'era la notte affilata, il brusio della selva imbottita di ali sbattute e fruscii incontrollati. Sono tornata in casa tenendo il busto al riparo delle braccia, la neve delle scarpe si è fatta acqua sul pavimento, il caldo recuperato mi ha segnato le guance, ho cercato il sonno riparatore, mi agitavo nel letto, è giunta la fame ed è scomparsa, il lupo proseguiva nel suo richiamo, avvertiva della sua presenza e chiedeva la solidarietà del branco, l'aiuto per far fronte alla sua esistenza precaria.

Ho provato con il riparo del cuscino, confondevo l'istintivo verso dell'animale con un grido di dolore, la sofferenza degli anni passati non è stata sprecata e oggi mi tiene in allerta, e mi porta a scorgerla nell'altro, a darle attenzione. Ho vinto la veglia nell'ultima ora della notte, la luce a un passo, e mi sono alzata col debole sole di gennaio già al centro del cielo, la testa mi pulsava e nella bocca sentivo un sapore amaro. In cucina ho fatto scorrere il rubinetto e ho bevuto d'un fiato, l'acqua fredda è scesa con una fitta lungo l'esofago e poi mi sono di nuovo persa nel volo perpetuo dell'aquila sulla Valle. Sullo sfondo, lo Straniero riparava la sua casa e si confondeva fra gli alberi. Come il lupo solitario, insensibile ai miei silenziosi richiami.

Solo il verso rauco di una ghiandaia fa compagnia alle mie mattine. Oggi l'ho attesa sul ciocco di legno all'esterno, godendo del piccolo conforto di un raggio di sole velato da una nuvola di passaggio. L'ho guardata atterrare sicura nella neve con il piumaggio ocra e il manto turchese, ammaliata dal suo sicuro cercare che in questi giorni fiacchi dà vivacità al mio orizzonte. Volevo il conforto del poco quassù, e ora so riconoscere l'arrabbiatura che mi muoveva, mi prendo la dolce nostalgia che porta lo spreco del tempo, ritrovandomi stanca e impaurita persino dall'essere amata. Non sento mancanza della vita di giù, per quei pochi che ho lasciato, e che non cerco, e che non mi cercano. Sanno che è il dolore di aver vissuto male a muovermi ora.

L'uccello si è posato sulla catasta di legno, a pochi metri da me, aveva l'allerta nello sguardo, ai lati del becco gli pendono baffi neri che vibrano al muoversi del capo. Giunge nell'ora della quiete, nel primo pomeriggio, più piccolo di un corvo, fa rumori strani e scava un punto preciso nel bianco, poi torna in superficie con un seme. Raccoglie i frutti interrati in estate, le scorte ammassate nel terreno o nell'incavo di un albero, sa che d'inverno il bosco ha poco da offrire ai suoi ospiti. E ricorda tutto, non sembra esitare che per un attimo, ma esce vincente dalla ricerca, con il frutto che lo sazierà stretto nel becco, e poi vola via a cercare l'intimità di un ramo nascosto fra le conifere. Sa pianificare il futuro, la mia amica, ha consapevolezza del suo vivere, e nel trasporto dei semi contribuisce anche al rimboschimento naturale, aiuta gli alberi a spostarsi.

L'apparizione della Guaritrice sul sentiero ha mosso il paesaggio e la ghiandaia ha lasciato terra anzitempo. L'anziana donna era venuta a portarmi il sollievo di un sorriso, nel suo tocco ho trovato l'accudimento istintivo della madre, avrei voluto accoglierla in casa, raccontarle le novità, ma lei mi ha cercato subito la mano. Ho sentito nel palmo il suo corpo caldo e calloso, le grinze sotto gli occhi le piegavano lo sguardo, la pelle del viso uno strato di carta velina, mi ha strattonato e si è girata verso il bosco, voleva che la seguissi. L'ho raggiunta dopo aver chiuso la porta, aveva indosso solo un vecchio maglione verde, odorava di erbe e tabacco, forse fuma, ho pensato. Nella penombra del sottobosco i suoi occhi hanno preso la tinta blu cobalto del lago, siamo passate leggiadre nella foresta di larici, l'intrico di rami contorti era uno scheletro grigio che toglieva luce e ci nascondeva al cielo, e a mezz'altezza galleggiava un'aria sporca.

Il cervo era lontano, lo abbiamo avvicinato col respiro

trattenuto, la Guaritrice ha sollevato il dito nodoso a indicare il fiero animale che brucava solitario fra gli alberi. Siamo rimaste sospese nell'ammirazione, lui ha sollevato il capo, vigile, e ha sbuffato un grumo di fiato nel freddo, quindi ha spostato gli occhi e ha ripreso a masticare. Le lunghe corna copiavano gli intrecci dei rami, il suo palco assomigliava al nobile materiale che si piega al vento, il legno che tutto ingentilisce. Aveva nel comportamento prudente la capacità di restare in ascolto, di sentir vibrare il bosco, negli occhi il sentore del pericolo incombente che abita gli animi sensibili. Baratterei il mio sentirmi finalmente compiuta per un granello della sua fierezza, per il rispetto che porta a sé, incurante della morte e del giudizio, essere capace di fare a meno, essere pieno che conserva il suo posto nel mondo, e lo difende, essere che esprime il ritorno perpetuo della vita proprio attraverso quelle corna che si rinnovano annualmente, cadendo e rinascendo in primavera con una ramificazione in più, un altro anno, altra forza. La Guaritrice lentamente ha spostato il dito da lui a me, ha premuto sullo sterno e mi ha riempito con uno sguardo di benevolenza, voleva forse che quel cervo mi appartenesse, che fosse il mio spirito guida.

L'animale ha aggiunto al silenzio un rumore cupo, un bramito furioso, disturbato nel suo vivere ha sollevato una zampa e si è allontanato fendendo la boscaglia con la testa dritta a sorreggere il palco, che può essere arma o blasone e che a me è sembrato corona che gli donava il passo del re. È scomparso nei boschi di cui è padrone muovendosi con la leggerezza del fantasma.

Ho ringraziato la Guaritrice e l'ho portata da me prima che finisse il giorno, le ho preparato una tisana di fiori di malva e le ho offerto il riparo che lei è solita offrire, e mi è parsa stranita da tante attenzioni. Mi sono seduta al suo fianco e le ho parlato della differenza tra ciò che sono e ciò che sono stata, della disperazione delle cose certe e immobili, dell'equilibrio fiacco che porta il dolore nascosto, che mi ha spinto ad allontanarmi per cercare l'ubriacatura, io che mi sentivo asfissiare, e di questo nuovo cammino sotto un altro sole, che chissà dove mi condurrà. Qualcuno ha detto che se non cambiasse mai nulla non ci sarebbero le farfalle, ho concluso ridendo di me, mentre affondavo nella poltrona con i gesti timidi della paura di non piacere, i piedi scalzi sul bordo della seduta e le ginocchia al petto. Lei ha alzato le spalle e mi è parsa splendidamente ridicola, avulsa da tutto, capace di cambiare le cose senza volerlo, mi ha liberato della vergogna provata per la parte più bella di me.

Ho smesso di chiedermi se avesse capito e ho ripreso a sorseggiare la tisana, dando ospitalità al brillio di follia che occupava l'aria. Le nostre bocche cercavano rumorose il conforto della bevanda calda, e nel silenzio siamo rimaste a sorriderci.

Matte fra i matti.

E poi è ricomparso, dal fondo del sentiero, col passo lento di chi è in cerca, la camminata che scioglie i brutti pensieri. Il Cane lo precedeva e mi ha avvicinato prudente, annusando i miei odori, mi ha leccato le dita, la coda allegra batteva il tempo del ritrovo.

Gli sono corsa addosso stavolta, volevo trattenere il suo abbraccio, e lo Straniero è parso sorpreso, e mi ha stretto, il suo fiato di montagna mi solleticava la faccia. Mi cercava lo sguardo, e mi ha messo a posto un ciuffo di capelli in burrasca col gesto posato di chi sa dosare la forza, dell'artigiano che si prende cura dei dettagli della sua opera. Poi mi ha detto che sono bella, e gli ho riso fin quasi sulla bocca, mi sembrava tutto ridicolo, come la musica che balli da sola nella stanzetta degli otto anni, e mentre lo baciavo mi chiedevo quanto sarebbe durato l'istante di dimenticanza che mi faceva apparire ogni cosa meravigliosa, quanto avrei pagato la mia docile resa.

Lui non mi ha dato il tempo di pensare, ha parlato di una sorpresa e mi ha spinto sulla strada che scende a valle. Abbiamo preso un sentiero e camminato sulla neve nuova che faceva resistenza, il sole non lasciava ombre al nostro fianco, il cielo era sgombro di uccelli e una sola scia bianca tagliava l'azzurro, tracce di un aereo andato via senza rumore. Il grande massiccio del Monte ci guardava da lassù, altare di roccia e neve, lasciavamo per lui impronte poco più grandi di quelle di uno scoiattolo. I boschi neri ci seguivano, e nella discesa ci accompagnava l'affanno del Cane che sbuffava di curiosità e non di fatica. Per lunghi minuti non c'è stato altro che il nostro silenzio e quello della montagna, che mi ha reso già dipendente, bisognosa di seguire la sua strada maestra, alla ricerca del nascosto che abita in lei e in me. Lo Straniero mi ha offerto del formaggio di capra con le sue mani sporche, nello zaino conservava anche del tè in un thermos, l'ha bevuto con lo sguardo alla luce del giorno, io ho preferito dissetarmi con la neve fresca. Gli ho chiesto dove eravamo diretti, mi ha detto di nuovo che era una sorpresa e ha ripreso a camminare solerte. C'è in lui, nella Guaritrice, nella Rossa che mi ha nutrito da sorella, in chi abita questo luogo, la necessità di trovare riparo alle anime rotte, l'obbligo di occupare lo spazio che le ferite lasciano nelle persone, la maledizione di sentire il dolore dell'altro.

Siamo arrivati in mezz'ora di cammino, la neve si è d'un tratto mischiata al terreno e ha lasciato spazio al fango e ai sassi su cui si impuntavano le suole degli scarponi, eravamo già alla fattoria, quattrocento metri più giù. Un uomo alto e magro ci ha accolto col garbo docile delle bestie, senza sprecare gesti e parole ci ha condotto alla stalla, dove la mucca stava per partorire. L'odore pungente di fieno, sterco e medicinali mi ha tolto tutto dalla testa, gli occhi sono corsi alla vacca gravida, la famiglia dell'agricoltore era lì, la moglie aveva il corpo rotondo e se ne stava storta in piedi a guardare i suoi due ragazzi senza barba ma con braccia pronte per il lavoro, mi ha salutato con un cenno. Il contadino era già con le mani nel catino pieno d'acqua adagiato su una pietra, lo Straniero ha preso lo spazio dietro di me e il suo respiro fra i capelli mi ha fatto pensare a una nenia antica, una preghiera laica. L'uomo ha finito di lavarsi e ha puntato le ginocchia nel fieno, aveva le mani grandi pronte all'aiuto e perdeva gocce di sapone dalla punta dei gomiti mentre cercava una via nel ventre dell'animale. Il viso sulla pancia tonda della mucca e lo sforzo nella fronte arricciata, indicava al vitello la strada e chiudeva gli occhi per scacciare il sudore. Il tempo si è riempito di muggiti, le altre mucche avevano il terrore negli occhi e i campanacci scandivano i minuti. La vacca non cercava il riposo, resisteva e portava avanti con fierezza la realizzazione di un miracolo.

Il fattore d'un tratto ha lanciato un grido strozzato e i figli hanno fatto un passo avanti, e anche lo Straniero si è sentito chiamato. Il puzzo di sudore e sangue mi ha preso allo stomaco, ma poi sono spuntati gli zoccoli e il muso del piccolo, la madre muggiva e agitava la coda con i colpi che servono a scacciare le mosche e non cercano il male, solo il sollievo. I quattro hanno legato le zampe del vitello e il contadino si è zittito, negli occhi aveva l'attesa di chi sta contando. Poi ha ordinato agli altri di tirare, e loro hanno tirato tutti insieme, la vacca ha lanciato un verso di liberazione e il vitello è scivolato a noi, è giunto alla vita, e mi sono ritrovata col fiato della corsa mentre il contadino e i figli accompagnavano il piccolo al suolo. Sorridevo intontita, e ho sentito l'applauso che non c'era. La vacca fatta madre dalla natura già sapeva come ripulire il figlio con la lingua, scoprendolo a noi di un colore marrone rossiccio. Per terra placenta e urina, sangue e muco. Siamo andati via quando il vitello ha smesso di vacillare e ha preso forza sulle esili zampe. La moglie del contadino ci ha offerto due bottiglie di latte appena munto e sei uova fresche delle sue galline. Lo Straniero aveva le maniche della camicia arrotolate e il sudore sotto gli occhi, sembrava contento e non sentiva il freddo, e in quell'istante mi è parso giovane. Ha il sorriso facile di quelli che hanno già fatto i conti con la vita.

Sulla via del ritorno la neve ci ha tolto il fango dagli scarponi, il Cane era già nel fitto bosco quando lui mi ha preso la mano senza dire nulla. Il sentiero di casa ci ha accolti prima del buio, ora che le giornate iniziano a risalire. Sono giunta con la sete in bocca e la vescica che premeva sotto i vestiti, stanca, felice e sporca. Lui è rimasto senza che glielo chiedessi, è entrato in casa dopo il Cane e prima di me, ho chiuso la porta e cercato il conforto della doccia, sulla pelle ancora l'odore della stalla.

Lo Straniero l'ho trovato sul divano, leggeva Fenoglio, carezzava il Cane e beveva dalla bottiglia del contadino. Siamo tornati a intrecciare il cesto, la stanza profumava di latte, fieno e terreno.

È stato un giorno da ricordare.

L'alba è entrata negli spiragli della finestra spuntando sopra il Monte, ci ha tolto il sonno ristoratore ma ci ha trovato pronti. Lui è sfilato dalle lenzuola piano e l'ho sentito muoversi in cucina con la premura del padre, sussurrava parole dolci al Cane che con le unghie riempiva di ticchettii il soggiorno. Io fingevo di dormire, per il pudore di sentirmi nuda. Ci siamo presi la notte come fanno gli ubriachi e le puttane, per ripicca, sciocchi di felicità abbiamo scoperto il cuore, brindando alla voglia di stare in vita, e siamo affogati nel vino e nell'eccesso di allegria. Me la sono meritata una nottata libera, ho meritato un po' di sonno giusto e il risveglio dei poeti, questo amore scombinato che si nutre di voragini e toglie l'erba gramigna dalle crepe che le parole lasciano sulla carne. Lo Straniero ha raccolto il caffè in due tazzine, la sua l'ha portata con sé all'esterno, si muoveva nella luce nuova del giorno e mi ha spinto a raggiungere la finestra con passi assonnati per spiarlo. È rimasto lì, con solo una maglia leggera e le scarpe slacciate a separarlo dalla terra fredda di neve, a respirare l'aria chiara e a guardare il mondo che acquisiva consistenza davanti a lui e con lui. Ho capito che era uscito a prendersi la benevolenza delle cose superiori, a ringraziare per la fortuna di esistere, quella che da un po' fiorisce anche in me.

Mi sono rifugiata nel bagno, a cercare i vestiti della sera per coprire un corpo che fatico a vedere attraente, la magrezza non è vanto per me, ma esibizione del disagio, e allora mi guardo con distaccata superbia. Solo alcuni giorni di luce, e alcuni sguardi sfuggenti, riescono a vincere la mia diffidenza. Il non sentirmi bella mi ha reso però indipendente, non cerco ammirazione, attenzione sì, quella che pretendiamo tutti, qualcuno che si soffermi sui dettagli e abbia cura indiretta per le nostre maledizioni, i vuoti densi che ci abitano dal primo giorno, l'infelicità di non riuscire ad amarsi.

Ho messo sulla tavola la marmellata, lui l'ha spalmata sul pane raffermo, non sentiva il bisogno di riempire il silenzio e gliene sono stata grata. Il Cane mi ha spinto il muso fra le cosce, auspicava la carezza, e fuori dalla finestra il tetto gocciolava la neve della notte annunciando un'altra giornata calda, l'illusione della primavera alle porte. Dopo il primo morso lo Straniero mi ha parlato dei lavori al rifugio, e lo scrocchio del pane sotto i denti mi ha restituito un senso di intimità che non riconosco ancora. Dice che è indietro, sono sorti dei problemi e potrebbe non farcela per la fine della stagione invernale, non gli ho domandato perché non chieda aiuto, non conosco le sue cose, e va bene così. Poi mi ha cercato gli occhi, aveva la barba cresciuta male, le labbra screpolate, e nello sguardo tracce di rammarico, mi ha proposto di andare a pescare al lago, le belle giornate avrebbero potuto regalarci una trota o un salmerino. Gli ho detto di sì con il sorriso, lui si è alzato per mettere le tazze nel lavello e allora ho capito che parlavamo ormai un linguaggio diverso, domestico, pochi riferimenti bastano a intenderci, sottraiamo parole alle parole, gesti ai gesti, ci siamo trovati confidenti senza esserci confidati. Abbiamo recuperato la sua attrezzatura al rifugio e ci siamo rimessi in cammino, e non mi sembra di fare altro ormai. Il rosso del suo giaccone sfavillava indicandomi dove puntare lo sguardo, lo Straniero camminava con l'andatura lenta della rivolta silenziosa e interiore. La terra si lasciava attraversare, calpestare, e a ogni passo mi faceva ancora figlia sua, che nemmeno più il freddo avverte.

Ci siamo ritrovati l'uno accanto all'altra senza cercarlo, avanzavamo combacianti come gli innamorati, nella camminata l'accenno di quello che potrebbe essere, e mi sono chiesta se stessi confondendo quel dolce passeggio con quello di bambina, se avessi visto nello Straniero un altro padre, cadendo ancora e ancora nell'errore degli indifesi, alla ricerca dell'armatura che aiuti a trovare un posto nel mondo. Forse mi sto solo innamorando di quest'uomo senza volerlo, piano e malvolentieri, come cedono al sonno i bambini. Con lui inizia a essere tutto dimenticato, e quasi ho provato rimpianto per quegli attimi che mi hanno scoperto distratta, lontana dal bosco e da me stessa, io che sono venuta quassù a cercarmi.

Il lago era un diamante incastonato e mi contagiava di gentilezza, nelle sue acque ferme e quasi ghiacciate la natura capovolgeva i confini. Lo Straniero ha sostato sulla sponda il tempo di preparare l'esca, ammiro la sua capacità di essere con tutto sé stesso nelle piccole cose. Si muoveva poco, ma lo scricchiolio dei sassolini sotto i suoi stivali mi appariva insopportabile, una profanazione. Ha rotto la superficie del lago con un lancio preciso, le increspature concentriche hanno spezzato le sagome dei monti e la figura dello Straniero si è scomposta. Nella foglia solitaria che dondolava al passare delle minuscole onde ho ritrovato le immagini dei giorni andati, con mio padre che d'estate affondava per metà nell'acqua e si obbligava a trovare la pace dei movimenti, cercava nella pesca il respiro giusto che allenta le cose. Tornavamo a casa per il pranzo, dopo l'ultimo tuffo, e sulla strada del ritorno i suoi capelli folti e neri rilasciavano sul collo l'acqua tolta al lago. Quel lago che allontanandomi sentivo mio quanto l'amico caro, e a cui lasciavo di nascosto ogni volta un pezzetto di me, un orlo di vestito, una briciola di merenda, un'unghia spezzata, rendevo omaggio al suolo sacro e mi illudevo che restasse tale solo per me.

Mi sono seduta sul bordo e ho occupato un angolino, come chi è indaffarato a guardare gli altri, ho riempito il cavo della mano di neve e ho sentito bruciare la pelle. Ero piena di gratitudine per un luogo che sa attendermi. Ho capito in ritardo che lo Straniero era tornato a parlare, indicava la montagna di fronte che digradava nell'acqua, il versante senza alberi, dove il vento spostava la neve. Guardava il lato lungo del lago e raccontava del desiderio di piantare abeti anche lì, appena sarebbe stato possibile, con l'arrivo della primavera, mi parlava del desiderio di pace che lo ha spinto qui, dell'oblio che gli dà respiro senza tuttavia generare disinteresse per il mondo, che questi sono tempi nei quali non si può essere in fuga, indifferenti, tempi che obbligano a stare, a fare, anche le cose più piccole, per gli altri, a essere generosi. E questo fare in lui è piantare alberi, aiutare la montagna a resistere. Si è riempito la bocca con un sospiro, nelle sue mani la lenza sembrava un di più, e ha ribadito che siamo tutti obbligati ad avere cura di ciò che non ci riguarda da vicino, di ciò che è altro da noi, di ciò che verrà, per chi verrà. È il tempo della semina, ha concluso strattonando la canna, e il lago gli è piombato sui piedi con uno sbuffo.

Siamo rimasti in silenzio per il tempo necessario, ho restituito la neve al terreno, i palmi pungevano, alla fine del pomeriggio ci siamo allontanati senza prendere pesci, senza togliere nulla alle acque. Mi sono separata dal lago attenta stavolta a non lasciare parti di me, se non le poche impronte che domani, o dopo, la notte cancellerà. Per ricordarmi che non siamo niente. E aiutarmi così a dare più valore a tutto.

Febbraio

Il mio volto allo specchio mi appare spezzato, fuori è tornato il vento d'inverno, borbotta contro le persiane, soffia sulla foresta, porta dolore all'aria. Il fuoco del camino non mi toglie il freddo dalla carne, la montagna ha ristabilito i ruoli, mi ha costretta a un passo indietro, e ora sono sola, di nuovo. Lo Straniero viene e passa, proprio come il vento, e mi rimane ogni volta nella testa il mio nome nella sua bocca, i pensieri mi parlano per un po' con la sua voce rauca e febbrile.

Ho provato a tagliar legna, a uscire in punta di piedi da giorni bellissimi, volevo togliermi di dosso la paura senza motivo e fare un dispetto a me stessa, sentirmi felice. Ho provato a difendere la mia risata dalla neve in tempesta che mi tagliava il viso, ho sfidato proprio lei, la montagna, che mi ha insegnato l'arte della rinuncia, perché a me pare di non voler rinunciare più a niente, e di avere dentro una valle di luci. Attorno tutto frusciava, anche la mia paura. Mi sono seduta sul solito ciocco di legno a trovare ristoro, ho fumato mezza sigaretta nella bufera e ho perso il calore dalla faccia, fissavo l'accetta di mio padre nel legno, il ferro del mestiere, che sul manico conserva ancora l'ombra bruna delle sue mani.

Ho pensato a lui, che è in fondo al mio stomaco, alla voglia di padre che mi occupava per intero e che lui non è riuscito a riempire del tutto, alla parola padre, legata alla parola pane, al concetto di protezione e nutrimento, colui che porta il cibo alla famiglia, e l'ho pronunciata sottovoce, con uno schiocco sul palato, un sospiro che si è perso nel vento, e però sul sentiero là in fondo mi è parso di sentire il suo richiamo, una specie di fischio col quale lui si preannunciava, al ritorno dalle cose sue. Un verso che torna nel buio di alcune notti e si imprime ogni volta sulla pelle, portandomi l'irrefrenabile istinto di ridere alla cieca, come allora, quando mi sollevava sulla sua testa. Ho rimuginato di nuovo su un figlio, essere stata madre avrebbe reso la genitorialità ben più divina ai miei occhi, avrebbe dato significato al tempo oltre me, e quanto mi sarebbe stato d'aiuto riempire i giorni di gioco, insegnare al bambino ciò che mi è stato insegnato.

Lo specchio mi racconta una me diversa, non mi riconosco, non sento fratellanza con ciò che vedo, il mio fuori è distante dal mio dentro, non porto amore per questa creatura che percepisco estranea, per il volto incoerente, gli zigomi troppo alti e il naso sproporzionato, non c'è compassione per i suoi piccoli occhi infossati, nemmeno per le spalle piene di tormenti, il mio corpo oggi è terra di nessuno, da lontano ho visto un mostro. Così mi sono voltata, cercavo la schiena, la parte di me che meno conosco, ma non mi è bastato. Ho tirato un pugno al vetro senza forse volerlo davvero, e lui si è crepato, e allora ho succhiato il sangue dalle nocche, piangevo nella gola mentre mi preoccupavo di fasciarmi. Ero incontrollabile, non ero da nessuna parte, spogliata di me e della gentilezza verso le cose, lo sguardo pieno di scintille, mi muoveva la rabbia che resta certe volte alla fine del giorno.

Ho recuperato il bastone per le passeggiate e sono uscita nella tormenta, il freddo mi ha respinto subito, ho preso per i boschi, la nebbia copriva le voci e gli alberi si rivelavano a me nella loro solitudine, uno alla volta, ostinati resistevano. Cercavo il rifugio dell'incertezza, il passo della fatica, il sollievo delle cose semplici, l'attimo di dimenticanza, ma mi sono dovuta fermare, rischiavo di perdermi, mi sono data per vinta come insegna la montagna, una resa senza sconfitta, e sono tornata sui miei passi. Dietro l'ultimo faggio c'era casa mia, e dal bosco lontano mi sembrava giungesse un antico richiamo, simile a un fischio, lui che tornava dalle cose sue. Gli uomini mi hanno sempre messo in attesa.

Le gelate di questa settimana, dopo giorni di caldo, hanno colpito anche le conifere, gli aghi degli abeti si sono scuriti e sul versante opposto della Valle è comparsa una striscia rossastra, uniforme, a macchiare il bosco. Sono stati giorni di pausa e notti di tormenta, a dialogare col buio e il vento, ore di scricchiolii e lamenti. La casa esitava, a un passo dall'arrendersi, io ho deciso invece di non opporre resistenza, in equilibrio precario fra il reagire e il crollare mi sono fatta chioccia per covare il briciolo di incanto che porto dentro e non disperderlo nella bufera, nel grigio che dietro il vetro soffocava la foresta. Per la prima volta ho pensato di ritornare sui miei passi, abbandonare il campo e scendere a valle, incapace di far fronte alla bestialità della montagna. Ma ci sono cose che si imparano nella tempesta, e la disperazione alla fine mi ha permesso di resistere, senza saperlo mi ha reso libera, come chi si disinteressa dell'esistenza, mi ha obbligata al riposo, ha tolto alla silenziosa rabbia che mi muoveva vie di fuga e mi ha spinto al riparo, in un cantuccio a leggere e a prendermi il caldo del fuoco. Mi ha consegnato alla fede più facile, l'accettazione, che non richiede preghiera.

Piegata come il larice, annichilita dalla forza della natura, mi sono stretta intorno alle mie paure, e poi una mattina di sole ho ritrovato la beatitudine e sono tornata a prendermi cura di ciò che è fuori da me, come dice lo Straniero. Ho ripreso a camminare nella neve con la gerla sulle spalle, con il passo leggero degli gnomi e negli occhi forse lo stesso sguardo arguto, sempre più minuta ed esile mi muovevo fra gli alberi che conosco a uno a uno con in testa la serietà della formica, cercavo di nuovo la libertà di vivere al di sopra di tutto, il diritto di passare inosservata. E mi sono chiesta se il piccolo momento di candore in cui tutto mi appariva di nuovo perfetto non fosse valso l'attraversamento della lunga notte. Se non valga sempre la pena.

Ho sentito mio il pensiero dello Straniero, la voglia di piantare alberi e lasciare un segno, mi ha preso il desiderio di correre da lui per dirgli che è la cosa giusta, la più giusta.

Il bosco sapeva di legno umido, i tronchi apparivano rugosi e pesanti, vecchi e stanchi, i nidi degli uccelli abbandonati in autunno resistevano, così perfetti e tondi tacevano dai rami spogli, il silenzio però non mi parlava di desolazione, ma di compiuto, i mesi buoni sono lontani e i piccoli hanno preso il volo. Mi ha toccato per un attimo la gioia bambina di conquistare il tronco, di prendermi tutto il bello che c'è nella salita, desideravo raggiungere l'apice, al pari della linfa, e sentirmi libera come l'abete che guarda lontano, fermarmi ad ammirare il cielo e tutto dall'alto. Mi sarei aperta all'aria limpida sull'orlo del precipizio, senza timore di ondeggiare al vento, certa che l'albero mi avrebbe sorretta, che avrebbe vegliato su di me, come una volta. Avrei messo lo sguardo sul punto più piccolo, alla fine della Valle, e poi l'avrei posato sul Monte che mi dipinge le pupille di rosa e di bianco e dà ancora spazio ai miei propositi, il Monte che celebra la mia costante e ingenua voglia di andare, di spingermi oltre, come fa l'orizzonte libero con il navigante.

Il mio corpo però non l'ha permesso, ho addosso la debolezza di chi non si è risparmiato in battaglia, perciò mi sono indaffarata in intenzioni più alla mia portata, in disegni da età adulta, e mi sono ripromessa di aiutare chi è rimasto, gli uccelli del bosco che stanno nell'inverno come me, nell'attesa speranzosa della primavera. Mi è tornata la voglia di mangiare, sono corsa a casa, avevo più fame che cibo però, mi sarebbe toccato andare in paese per fare provviste. Mi sono sfamata con un tozzo di pane raffermo, alcune fette di salame e del formaggio morbido, in piedi accanto alla finestra, come chi è senza legami, nella posa abbozzata della partenza. Ero cane randagio, masticavo rumorosa e facevo mio con lo sguardo il bosco, mi prendevo il meglio dal poco, mi saziavo con la poesia del momento, con la consistenza del cibo semplice sotto i denti e il tepore di casa sulle guance. E niente più è esistito per un intervallo di tempo, nel punto di incontro fra la malinconia e la contentezza ho consumato il pasto. Pensavo a mia madre, alla domanda sua e di tutte le madri, hai mangiato?, che calava dall'alto come minaccia e mi toglieva spazio, e che adesso, da qua, mi appare come la più calda fra le carezze.

Il merlo e il pettirosso, o la capinera, si nutrono di briciole dolci, la cinciallegra e il picchio di semi e frutta secca, noci e nocciole. Il passero e il fringuello sono uccelli granivori. Ho recuperato alcune reti per agrumi, qualche cartone del latte, due bottiglie di plastica lasciate ahimè sui sentieri, ho sminuzzato gli avanzi della cucina, sbriciolato i biscotti e la frutta, il pane secco, qualche seme, e ho riempito le mangiatoie improvvisate, ho preso del fil di ferro e ho caricato la gerla, poi nel primo pomeriggio ho ripreso la strada del bosco. Sono andata di albero in albero, a indovinare il punto giusto dove lasciare il cibo, camminavo con lo sguardo ai rami, cercavo spuntoni ai quali appendere le mangiatoie, sotto i piedi la neve dura mi respingeva, e in giro non c'erano animali, neanche un verso. Il bosco stava in silenzio attorno a me, tutti i suoni si erano spenti, o forse ero io a non sentirli. Mi sono fatta segugio, ho chiuso gli occhi e portato pace al respiro, e in quel momento qualunque altra presenza mi sarebbe parsa insopportabile.

E poi dal limbo ovattato è emersa la Guaritrice, che ai sapienti tronchi che ci guardavano dall'alto doveva apparire come una vecchia megera, e sotto il naso mi ha portato una zaffata di resina. Si aggirava nell'abetaia come un aquilone nel vento, mi ha avvicinato con l'andatura danzante da sabba, il sorriso da furbetta, si grattava la testa con una mano a uncino e aveva gli occhi del colore dell'inchiostro. La sua compagnia mi ha messo di buonumore, ha il volto che ride senza motivo e lascia scoperti i pochi denti, e nell'espressione un costante punto interrogativo. Porta con piacere la sua piccola follia, è piena di strappi e non ha paura di mostrarli agli altri, il pudore non le detta confini, e qualcuno per questo potrebbe dubitare della sua ragione. Ai miei occhi invece ha l'intelligenza più alta, che induce a diffidare di sé e a parlare con sé, nel tentativo di togliere forza alla sofferenza. Mi ha aiutato a distribuire le mangiatoie nella foresta, un po' qua e un po' là, eravamo sonnambule fra gli alberi, e come sempre non c'erano parole a unirci, eppure la sua presenza ha ridato voce al bosco. Abbiamo camminato a lungo e senza accorgercene siamo giunte al rifugio. Mi sono fermata appena in tempo, all'imbocco del sentiero, per non ferirmi, lei mi ha superato per eccesso di entusiasmo nei piedi, un passo avanti al mio, e si è girata a guardarmi.

La casa dello Straniero era chiusa, tutto appariva fermo, in attesa, le fronde dei larici smuovevano l'aria e la riempivano di sussurri. Mi sono avvicinata con un ritmo alterato nel petto e mi sono sentita sciocca, imbambolata dalla lentezza con la quale sembravano scorrere le cose, la Guaritrice mi ha donato il conforto della carezza inaspettata.

Ho bussato alla porta con poca convinzione, le finestre erano serrate, conosco il vento e il suono di quel posto, conoscevo già la risposta. Ho pensato al Cane, alla silenziosa alleanza che abbiamo stretto, al suo naso umido che sfiorava le mie dita intorpidite dal freddo per darmi il benvenuto, il muso che tagliava per me il confine con una terra che non ho mai sentito estranea, il suo invito a superare quel limite invisibile. Un sospiro di fumo nell'aria e sono tornata indietro con i pugni nelle tasche.

Conoscevo già la risposta.

Lo Straniero era partito.

Il paese mi ha accolto con noncuranza, ma i volti degli anziani seduti in piazza pretendevano il saluto, sono sfilata loro davanti con lo zaino carico di spesa e ho sorriso, avevo nella testa l'odore della legna e nei vicoli acciottolati sono tornata a sentire l'eco dei miei passi. Già stanca d'amare, camminando mi sono scoperta capace di una sola fedeltà, quella nei riguardi della terra con la quale ho diviso il freddo e alla quale sento di appartenere.

Nella locanda ho cercato il volto amico della Rossa, con un respiro ho ritrovato quel che mi serviva ritrovare, la sala sapeva di broccoli e fuliggine, un pezzo di conifera scoppiettava nel camino, la televisione nell'angolo era accesa per una forma di cortesia, lei l'ho vista in fondo, piegava tovaglie con gesti garbati, metteva ordine fra i tavoli e mi dava l'idea rasserenante della permanenza. Le ho sorriso per annullare la distanza e l'ho raggiunta, aveva il solito grembiule addosso a toglierle le curve, l'età indefinita me la rende sorella minore e confidente, ha nella bocca e nei movimenti la buona educazione, negli occhi la benevolenza delle anime semplici, ma la spinge la forza delle donne sole, riesce a dire tutto con lo sguardo.

Nulla resta immutato, nemmeno un giorno è uguale a un altro, alla locanda mi pare invece di poter indovinare tutto, di sapere già chi arriverà e cosa accadrà. Le osterie di paese sono luoghi dove ognuno deposita le sue piccole certezze.

La Rossa si è presa le mie cose e mi ha invitato a sedere, mi ha portato una brocca d'acqua ed è sparita in cucina, qualcuno è entrato con uno scampanellio alla porta e ha rimescolato l'aria di freddo, ho protetto la bocca sotto la sciarpa e ho ripensato alla notte con lo Straniero, a quanto non sia mai abbastanza lo sforzo dedicato a riempire le assenze. Ho mangiato da sola, accompagnandomi col pane, la zuppa in bilico sul cucchiaio a ogni boccone, i pensieri si prendevano il poco rumore di fondo, sulle spalle mi pesava una domanda. Ho atteso che il locale si svuotasse, il caffè alla fine del pasto mi ha dato un po' di buonumore, la stradina assonnata dietro il vetro sapeva farmi compagnia. Alla fine, lei è tornata a sedersi di fronte a me, mi è parso che avesse sul volto la stanchezza che viene dal niente, la più difficile da sopportare, le mancava metà respiro in petto. La figlia ci ha portato una fetta di strudel a testa, nelle movenze da adolescente ha le fattezze della madre, i loro due corpi sembrano combaciare da lontano.

Questa te la offro io, ha detto la Rossa, e ha continuato a mangiare in silenzio. Le rughe attorno alla bocca mi rivelavano risa e bronci passati, l'ho sentita così vicina e senza pensarci le ho chiesto sottovoce se fosse felice, se le mancasse il marito. Nemmeno mi aveva ancora rivelato il suo vero nome, ha sollevato lo sguardo d'istinto e ha dovuto deglutire il boccone per trovare riparo dietro a un sorriso e difendere così il suo santuario violato. Poi però ha iniziato a raccontarsi, e nascondeva lo sguardo nella forchetta con la quale schiacciava le briciole di dolce. Mi ha detto che lei ci è cresciuta, da sola, e ci ha fatto l'abitudine, ha imparato a non chiedere troppo alla vita, ha una figlia splendida, e nessuno da pregare. Ci siamo scambiate le nostre piccole confessioni, parlavamo piano, respirandoci addosso, ci spiegavamo negli intervalli di silenzio, ci aiutava più che altro l'intuito. Ci siamo ritrovate complici di irrequietezza, la stessa esitazione a riempirci lo sguardo, ma a indirizzarci la stessa caparbietà nel dare valore al tempo.

Ho capito che la sua felicità, come la mia, è fatta di sapori, odori, suoni, la sua felicità, come la mia, è costruzione quotidiana, fatica.

Le ho chiesto dello Straniero per riempire una pausa, lei non ha fatto domande e mi ha detto che era dovuto andare in città per sistemare delle cose, ma avrebbe presto fatto ritorno, così sapeva. Le ho chiesto quando con nella voce l'apprensione di una madre, e lei ha sorriso, ripetendo solo una parola, presto. All'abbraccio siamo giunte un attimo prima del saluto. Accade ai pochi che hanno la fortuna di ritrovarsi a uguale punto del cammino, si scoprono amici.

Il freddo non lascia tregua, l'inverno avanza e io sono isolata da giorni, ancora. I larici e gli abeti mi appaiono cristallizzati e tremano al vento come campanule, avverto il loro lamentoso tintinnio. Mi muovo per la casa con accortezza, per non disperdere energie, trascorro il tempo sulla sedia a dondolo, affronto il ritiro, nel letargo dell'attesa scrivo e mi preparo a rinascere, come il bosco. Aspetto lo Straniero, e nel silenzio che mi circonda cerco di intravedere possibilità nuove, promesse di pace e speranza. La sera intreccio il cesto e sono piena di buona volontà. A volte parlo con me, mi prendo il calore della mia voce, altre volte mi costringo a non ascoltare, a stare solamente. Coltivo la consuetudine di molti, in fondo, aspetto di vivere, o di tornare a farlo, alleno la pazienza e imparo a divenire.

Alla fine del rigo mi alzo per ravvivare il fuoco nel camino, mi avvicino alla finestra, gli alberi tacciono. Ho incontrato un momento di pace una mattina, la luce si posava incerta sulle cose e i fiocchi cadevano stanchi e indecisi, il paesaggio aveva l'aspetto di una bolla e seduto su un granulo di neve più spesso degli altri stava un ermellino che da laggiù guardava proprio me, muovendo il muso nell'aria cercava il mio odore, i baffi vibravano per capire se fossi amica o predatrice, e con la coda dalla punta nera riparava il fragile corpo dal mio sguardo curioso. Avrei dovuto essere io ad arrossire, l'uomo si preoccupa di orgoglio e onore, e poi non è mite con i miti, e di ogni cosa si crede padrone. L'ermellino è corso altrove e io sono tornata ad attendere.

Cammino nei giorni con la gioia del bimbo che ricorda la poesia, a contare i passi che mi allontanano dalla notte.

E mi ritrovo viva.

Stasera il Gufo dal suo riparo è tornato a lanciare un monotono uh-uh sul bosco, ho preso il piumino e fatto il giro della casa per raggiungerlo, sono andata da lui prima dell'ora di caccia, la luna era un chiarore pallido sul dorso delle montagne e illuminava l'aria a sprazzi, la Valle non si era ancora spenta e appariva sotto di me come uno stagno in penombra. Gli altri uccelli tacevano già nel sonno, lui invece era lì, appollaiato al solito posto, sembrava attendermi, distinto. Mi domando se sia maschio o femmina, e cosa sappia che io ignoro. Gli ho chiesto di spiegarmi l'attesa nel gelo, di insegnarmi la capacità di stare, ho voluto sapere da lui se anche i suoi pensieri a volte somigliano alle preghiere, e se ha qualcuno a cui rivolgerle. Se senta profondamente suo, come è per me, il convincimento che non ci sia altro luogo dove attendere che gli alberi tornino a germogliare.

Il silenzio del crepuscolo sfumava le mie parole, rendeva tutto soffice, il momento uguale a nessun altro, le mie domande si sono fatte più accorte, deboli sussurri nel blu sbiadito che delimitava i bordi. La fine del giorno ci rivelava, animi solitari che si guardavano diffidenti, ognuno a fare i conti con i propri sogni, ci siamo incrociati, ma non ancora conosciuti. Ho inspirato a pieni polmoni, attendevo che il buio si prendesse lo scampolo di un giorno passato senza lasciti, il Gufo era ai miei occhi assonnati spirito calmo che entro arde, e pensavo che d'un tratto sarebbe volato via a danzare con le fate del bosco. Invece è restato, bubolava col collo affondato fra le piume del petto e roteava le pupille per non perdermi di vista, sospettoso nei confronti di chi pretendeva risposte che non gli appartenevano.

E poi è scesa la neve, si è disfatta a brandelli sopra di noi, pesava poco e portava un piacere istintivo, ha distolto la mia attenzione, mi ha chiesto di arrestare le domande e mi ha riempito di subitanea pace, così non ho avvertito più la fame della compagnia e ho inseguito il profumo del carbone che mi ha riportato al riparo, in casa.

Il Gufo è tornato a soffiare il suo acuto sulla notte, l'ho immaginato salire in volo sugli alberi e planare con armonia sullo sventurato topino venuto al mondo solo per un attimo di vita, per saziare la voracità di un'anima più forte.

L'inverno è ancora da attraversare.

Il freddo punisce la pelle, mi segna il corpo, le mani portano sul dorso i lividi della battaglia, le labbra accumulano ferite, il gelo le mastica. Resisto come posso, mi muovo a piccoli passi, ho poche distrazioni, pochi odori ancora stanno nell'aria, non prendo conforto da nulla, sono in me stessa, sempre più, la notte cerco riparo nella mia figura, come i cani raccolgo il calore e mi accuccio in un angolo. L'inverno mi ha tolto ogni cosa e fatto povera, ed egoista per necessità, però mi ha reso invincibile, ciò che cercavo. È il tempo della casa e dei ricordi, questo, il tempo dell'ordine austero, di serate senza via di uscita, è ciò che mi serve, stare con me, camminare col capo chino e le mani in tasca, assorta.

Il sole schivava le nuvole per arrivare a sfiorarmi la schiena, una pietra mi faceva da trono, ero ferma a respirare la malinconia del bosco spoglio, nell'aria un solo colore, il Monte si nascondeva alla vista ma c'era, e sotto la neve vecchia il bulbo del fiore resisteva, resiste. Ai miei piedi, su un ramo di abete spezzato dalla tempesta, gli aghi continuavano a mantenersi saldi, forse a germogliare, e non so se chiamarli ingenui, matti o valorosi.

Lo Straniero mi ha trovata nel bosco, e mi ha chiamata fata mentre mi porgeva la mano prima e mi stringeva a sé dopo. Mi ha tolto la calma dall'anima, mi ha messo fretta, di baciarlo e farci l'amore, di raggiungere a piedi con lui un'altra vetta, un campo immenso di girasoli, di oltrepassare le domeniche senza accorgermene e arrivare a una di quelle notti estive piene di caldo e pace, con i grilli che si cercano da lontano frinendo e la tenda che sfiora il letto spostandosi leggiadra per far entrare il canto.

Il Cane ci apriva la strada col muso, siamo tornati al rifugio tenendoci per mano, e quanto sarebbe stato più facile proseguire ognuno per suo conto, ma c'era l'urgenza di starci addosso che prende gli innamorati. Nel clamore della foresta abbiamo raggiunto casa senza parlare. Qui mi ha spiegato poche cose, che era dovuto tornare in città per sistemare alcune faccende e aveva trascorso una splendida serata con la figlia, l'aveva portata in un'osteria e si erano raccontati le loro vite fino a tardi. Ha tenuto a ribadirmi che presto lei verrà ad aiutarlo, poi ha spostato lo sguardo sulle mensole piene di libri e ha cambiato tono e argomento, mi ha chiesto se avessi fame, e già si era alzato per occupare i fornelli, e mi ha dato le spalle senza domandare di me, ferendomi. La mia vita senza di lui non lo riguarda, o forse non vuole intromettersi, apparire invadente.

Mi ha versato del vino, ha dato la cena al Cane con poche mosse, ha riempito la stanza con il fuoco del camino ed è tornato ad abbracciarmi, e ci siamo ritrovati integri dopo l'ultimo addio, l'ennesimo, in un macabro susseguirsi di mancanze. Mi ha preso la nuca nella mano calda, teneva la pipa schiacciata fra i denti, e mi ha trovato inerte, prigioniera della mia rabbia. La solitudine prolungata mi rende caparbia. Ma è durata poco, ho ripreso a parlare, non voglio odiare nessuno e non pecco di orgoglio nemmeno per lo Straniero. Lui è tornato a cucinare, e negli intervalli fra un gesto e l'altro veniva a posarmi un bacio leggero sulle labbra, e parlava dei suoi progetti. Ma nel modo di farci compagnia c'era qualcosa di nuovo, e d'un tratto gli è scappato un noi.

Come l'ubriaco finge pateticamente la sobrietà per la paura e la vergogna di mostrarsi rotto, lo Straniero si esibiva per non farmi capire che c'era anche in lui qualcosa di crepato quella sera. Ma poi l'ho dimenticato, o forse è stato proprio questo ad attrarmi, non so, euforica di vino e sguardi ero bambina che alla festa cerca il sorriso del maschio silenzioso nell'angolo. Ero pronta a festeggiare, e gli sono bastate poche stupide mosse per farmi cadere.

La verità è che mi sono innamorata dello Straniero prima che arrivasse il freddo, e fino a oggi ancora non lo sapevo.

Mi ha svegliato di baci, ho strizzato gli occhi per cercare il sole del mattino, avevo la sua barba addosso, fra i denti, non c'era spazio fra noi, niente aria, solo il suo corpo che cercava il mio, e mi riempiva di gesti non richiesti, i più belli. Mi sono domandata cosa vedesse in me, ma le sue labbra si erano fatte selvagge, scavavano canyon sul mio collo, il suo respiro soffiava come vento sulle falesie, e mi è parso di ricevere più baci che in tutta la mia vita. D'improvviso è giunto come un fiotto di sangue il pianto, la mia incapacità di trattenere la bellezza, mi sono trovata senza difese e per il tempo di un battito ho osato sperare di poter vivere così per sempre.

Lo Straniero baciava la mia pelle, le paure, gli affanni, baciava l'ombelico e il gomito, tornava alla bocca, baciava il mio coraggio di donna libera, i piedi che mi avevano permesso di restare ritta, la fronte bambina, baci avidi, curiosi, lunghi. È salito agli occhi, ha abboccato le lacrime senza indugiare, come il pesce che non sa dell'esca, mi ha fatto il suo giuramento senza parlare, non aveva tregua negli occhi, e allora ho pianto tutta la disperazione che avevo, e che non mi abbandona. Poi è sceso al basso ventre, e il singhiozzo mi si è spezzato in gola, la pancia sopportava i tremiti, avevo sottopelle il brivido della febbre, mi sono arresa ancora e ho lasciato che le lacrime mi colassero nella bocca e riempissero di sale la lingua, ingoiavo il mio stesso dolore, il feto partorito. Ero osso spolpato, ero tutto e niente, la sua lingua si muoveva in me con la calma del fiume e mi portava la pace cattiva, i crampi alle cosce, i polsi pieni di battiti, la schiena nuda incurvata era pronta ad alzarsi in volo, il pianto si è fatto riso, il fiato trattenuto nei polmoni è uscito infine con uno zampillo d'aria dolce, il grido di resistenza che conservavo dentro è esploso con un fragore e mi ha liberata, almeno un po', inchiodandomi al letto sfatto.

Lui è risalito seguendo le asperità delle ossa, sembrava scivolarmi addosso. È tornato a baciarmi le spalle, il suo alito da lontano sapeva di torta di mele, e mi sono chiesta che sapore avessi io nella sua bocca. Ha sorriso mostrandomi il vuoto del dente mancante ed è sgusciato via nel suo corpo sciupato, in cerca del primo caffè del giorno.

Nel silenzio che mi è rimasto, fra le lenzuola stropicciate e sulla pelle umida di amore, batteva irregolare sotto la gabbia d'ossa il mio cuore arroventato.

La giornata è durata poco, lo Straniero aveva da lavorare, io dovevo rientrare. Ci siamo salutati senza scambiarci promesse, sono andata via con il passo instabile, schivavo le asperità del terreno con la leggerezza delle libellule, avevo addosso il caldo che viene dall'appagamento e tremavo dentro, ero grumo pulsante di vita. Prima dell'ultimo bacio ci siamo fermati sotto la casetta degli uccelli che gli avevo regalato, a osservare un merlo sgranocchiare impavido gli avanzi. Lui mi ha cercato ancora le mani e mi ha detto sottovoce che ho il garbo di non leggere negli occhi degli altri. Mi sono sorpresa della capacità che lo muove di osservarmi. Come i bambini, o i cani, che prestano fede ai nostri movimenti abituali, inconsapevoli, indifferenti, e li elevano a esempio.

Nel tempo di un saluto è atterrato un altro merlo, e i due uccelli hanno iniziato a rincorrersi frullando fra gli abeti e i larici secchi, cantavano all'amore e alla primavera che verrà, e lasciavano l'aria più soave.

Sono tornata a casa come ho affrontato l'inverno, con le mani in tasca.

Marzo

Il boscaiolo mi ha detto che non ce la fa a soddisfare l'enorme richiesta, che a dicembre sono arrivati molti turisti e si sono presi quasi tutti i carichi per il restante inverno. Mi dovrò accontentare. Procedo in questi giorni nella foresta col passo di chi traccia il sentiero, prefiguro nuove strade, altri percorsi che mi porteranno in luoghi sconosciuti, cerco nell'aria del primo mattino qualcosa che non sia familiare, ho lo sguardo felino, tutto mi appare sconosciuto, bramo regioni inesplorate, corteggio altri bisogni, voglio lo spavento che porta il nuovo, per non far spegnere l'energia che mi muove. Ho anch'io la primavera addosso, non capisco se la storia con lo Straniero mi fa vincitrice o sconfitta, ma in ogni caso nelle gambe ho la scossa di chi cerca rivincite.

In una radura ristagnavano pozzanghere scure, e accanto a una di queste l'ho vista, l'impronta dell'orso, inconfondibile, che mi ha messo in allerta. Mi sono accovacciata, in uno stato di attenzione alterata tentavo di intercettare l'energia lasciata dall'animale, vibravo di paura e stupore, è periodo di letargo questo, eppure l'orma mi indicava il passaggio certo, raccontava di un orso bruno diretto verso il lago. Attorno a me il bosco era libero e selvaggio come non mai, tra i seni ho sentito scorrere la goccia di sudore dell'estate, nell'aria c'era l'attesa dell'accadimento, mi sono accostata a un albero per

111

guardarmi attorno, l'orso avrebbe sentito il mio odore se fosse stato ancora vicino. La paura accelerava le cose e mi metteva in raccoglimento. Volevo però vederlo, incontrarlo, rendergli omaggio, lui monarca di queste montagne, disturbato chissà da cosa nel sonno ristoratore. Ho scelto di proseguire, dietro le sue tracce mi sono inerpicata nel denso bosco, gli alberi scorticati trattenevano ancora i peli del suo strofinio, i resti di un formicaio squarciato dalle sue unghie mi indicavano la strada, lungo il crinale che regge il lago, un pozzo nero che rifletteva cumuli grigi di nubi senza fretta di andare. Poi l'ho perso, l'orso, le impronte se le era prese la neve, il bosco difendeva il suo re, lo ha sottratto al mio sguardo da cacciatore, umana fra gli umani, che predano senza fame. L'orso non mi avrebbe aggredita, non lo fa mai, a meno che non siano in pericolo i suoi cuccioli, a meno che non sia provocato.

Sul versante opposto un camoscio in bilico sulla montagna faceva provviste di erbe secche e licheni scavando con gli zoccoli nella neve, ho preso il binocolo dal collo per incontrarlo da vicino, e il mio sguardo ha indugiato su di lui, che stava sull'orlo dell'abisso preoccupandosi del pane quotidiano, e mi spiegava come tirare avanti. D'un tratto si è fermato e ha sollevato la testa, per fissarmi, occhi negli occhi, e sono stata certa che mi avesse visto, poi è tornato al suo lavoro, rendendomi degna abitante del bosco, come tale, priva di interesse per gli altri.

Con una breve escursione la montagna mi ha di nuovo spogliata delle cose inutili, mi ha costretta alla rinuncia. Come ai prigionieri, mi ha dato l'ora d'aria e ha tenuto a ribadire la mia profonda piccolezza terrena. Ebbra del poco lassù, respirando ogni cosa, leggera, libera e attenta come la maestosa aquila che vive sul margine dei precipizi, sono tornata sulle mie tracce. Dietro di me un bagliore di lampi sul massiccio calcareo del Monte, nell'aria la pressione dell'attesa.

La bufera era in arrivo.

Mi ha tolto dal sonno un rombo sordo nella notte, mi sono alzata a sedere nel letto, nei polsi il cuore vibrava e nella gola sentivo il grido strozzato, il fragore della natura mi ha colto impreparata, la montagna usava tutta la sua forza. Sono giunta alla finestra che il boato si era consumato, cercavo nel cielo una falce di luna che mi togliesse il buio dagli occhi, ma fuori non c'era altro che silenzio e attesa, non un verso d'animale, nemmeno l'ululato del lupo che ti avvisa, nell'aria l'immobilità dell'accaduto.

Ho preso la coperta ai piedi del letto, infilato le pantofole e aperto la porta, la luce di casa ha verniciato la neve, dalla notte impenetrabile sfuggiva solo un mucchietto di abeti vicini. Col buio la foresta si fa nemica, un mondo di spettri. Mi sono messa in ascolto, il mio respiro era un sibilo, la paura mi ha fatto prigioniera, dall'oscurità è giunto lo scricchiolio lontano del Monte, ho avvertito la terra tremarmi nelle ossa e sotto i piedi, il rumore stonato di cose che cercano un nuovo incastro. Ho avuto il tempo di capire, non di agire, fissavo sgomenta il punto di sempre, senza bisogno di riferimenti visivi, il rifugio dello Straniero era dentro il bosco avvelenato. Ho provato a puntare la torcia, ma ho raggiunto solo i piedi degli alberi, niente di più. Non potevo nemmeno scendere in paese. Sono andata a prendere il telefono, era muto. Allora mi sono seduta al tavolo della cucina, ad attendere l'alba che mi avrebbe regalato la vista.

E ora scrivo questo piccolo pensiero con le mani che tremano, tento di mettere la speranza nella paura e sudo freddo. Attorno, il silenzio è un presagio che non mi lascia pace, nel buio cova sadico l'assassino. Prego per lo Straniero, perché la valanga non lo abbia preso. Prego per me, per le mie paure, perché i mostri non retrocedono, se non dopo aver colpito.

Non voglio altro che vivere.

La luce velata di un bianco opalescente è arrivata a spazzare via la notte più difficile e mi ha destata dal torpore agitato che mi aveva infine costretto alla resa, seppur temporanea, nella posa ragazzina di chi cede al sonno solo perché vinto, un braccio poggiato sulla tavola, a far da cuscino. Con pochi passi ho raggiunto l'esterno della casa, in bocca avevo il fiato secco della paura. Uno schiocco di palpebre mi è servito per capire che l'abetaia sul versante opposto era sparita, inghiottita dalla neve, la valanga si presentava come una striscia bianca punteggiata di macchie scure, una ferita sanguinolenta, uno squarcio sul costone della montagna. Una striscia che si era mangiata tutto.

Le pupille cercavano spiegazioni, ma sapevo, ho preso il binocolo in cucina per guardare meglio, ma sapevo, ho provato a fissare nuovi punti di riferimento, ma sapevo, volevo il conforto dello sbaglio, ma sapevo, il finale perfetto, eppure sapevo.

Era stato il lato nord a cedere, la parete che lo Straniero desiderava ripopolare di alberi, quella che lasciava scoperto il rifugio. Il cuore mi ha preso fuoco, e prima che me ne rendessi conto avevo già riempito lo zaino delle poche cose utili ad attraversare la vallata. Un ronzio fastidioso nell'orecchio accompagnava i miei movimenti essenziali, non c'era spreco di tempo in me, ero il macchinista che sa quel che fa, non osavo cedere alla potenza schiacciante della montagna, non potevo farmi trovare in ginocchio.

Sono partita che il giorno era ancora una promessa, un cielo sbagliato si configurava sopra le cose, nuvole di catrame aggrovigliate come stracci sporchi. La valanga aveva zittito la foresta, i monti erano muti, sorpresi dal dolore. Lo stesso che a me invece spiegava cosa fare, e mi rendeva grande, mettevo un piede davanti all'altro e mi rincuoravo pensando che lo Straniero era di certo altrove, magari in città. Lui ha un sortilegio dentro di sé, è il guardiano dei due mondi, tiene

socchiusa la porta dell'incanto, mi ha reso fattucchiera e cre-
dulona, sciocca innamorata.

Il bosco mi ha tenuta al riparo per il tempo della camminata, e quando infine ha allargato le braccia spingendomi nella
radura, la verità mi ha fatto folle, lo zaino è rotolato nella neve
dopo la corsa, davanti a me lo scenario era un enigma, la montagna si era impossessata del paesaggio, in una notte ero orfana del mio luogo sacro. Dove c'era il rifugio, un ammasso di
neve frolla, di sassi, legni, rami spezzati, terra, una piccola de-
vastazione in un dipinto di quiete, una sciagura che riguardava
me, e solo me, e non toccava che di striscio la spietata e placida
montagna. Il dolore giungeva dagli occhi, li faceva lacrimare
ma era al contempo richiamo all'azione, ho corso come non
sapevo di poter correre, mi sono inginocchiata, nella testa il
desiderio della preghiera, nelle mani la forza dei disperati, appoggiata ai gomiti toglievo alla valanga i suoi trofei morti, radici, pietre, tuberi, legno fradicio, scavavo senza senso, senza
orientamento, non sapevo dove fosse seppellito il rifugio, non
potevo inerpicarmi, la neve era troppa, mi impediva di camminare, di raggiungere lo Straniero. Ero disarmata.

Mi ha fermato un abbaiare lontano, ho sollevato lo sguardo, il ghiaccio mi cadeva dalle unghie, le dita curve piagate dal
gelo, ero sudata, ho tolto il cappello e il vento si è preso una
ciocca, la stessa che lo Straniero mi sistemava con il più piccolo atto di cura. Il Cane era trecento metri più su, mi chiamava
alla legge di natura, aiutarsi l'un l'altro. Ma non potevo, e mi
sono disperata, le gambe affondavano per metà nella neve,
avevo da attraversare tutto quello che c'era nel mezzo fra me e
lui, che mi aspettava indicando il punto nel quale cercare, fermo nel suo compito. Il suo guaito irraggiungibile era lama affilata sulla pelle, ho pregato quel Dio che non conosco, il respiro cercava di ricostruirmi, il mio pianto lo asciugava il vento.
Ho scavato dove non serviva, con la forza che non sapevo di
avere, ma la montagna non mi lasciava incidere la sua ferita, il

sudore mi pizzicava gli occhi, la mia forza ha avuto vita breve, mi sono accasciata sulla schiena, il cielo in faccia, e ho urlato l'aiuto che nessuno poteva ascoltare, ho cacciato il grido di terrore che stagna in fondo all'anima, un mugghio potente di dolore che mi ha spento la voce.

La neve mi ha vinto solo attendendo, paziente, la resa. Ero sterpaglia tra la sterpaglia, tremavo di paura. Sul finire dell'inverno la solitudine mi piombava addosso come una condanna, e mi rendeva emarginata, irrimediabilmente e per sempre. Il Cane più su lottava come i coraggiosi, senza speranza. Ho asciugato le lacrime col dorso delle mani e mi sono messa a sedere, dovevo chiedere aiuto.

Ho urlato al Cane di aspettarmi, e il Monte mi ha restituito l'eco della mia voce distorta, ho recuperato lo zaino e preso la montagna a scendere. L'ululato di un lupo accompagnava da dietro il mio cammino, gli animali erano nelle tane e mi guardavano furtivi. Il bosco rieccheggiava dei miei passi, e metteva paura. Non me ne sono curata e ho proseguito decisa. Il dolore nella vita mi ha fatto capobranco.

La gente mi guardava, ho socchiuso gli occhi, desideravo non esser vista, sottrarmi al giudizio. Vorrei potermi ritirare, retrocedere all'essenziale, poter viaggiare leggera, ma la vita spesso non lo permette. La testa tiene tutto dentro in questi giorni, persino le lacrime, che così fanno più male e mi rendono tonta. Procedo nelle notti col capo chino, scansando a stento gli ostacoli, il Cane mi tiene d'occhio, diffidente, non si allontana stavolta.

Durante il funerale non ho osato guardare la cassa al centro della piccola navata, pensavo allo Straniero nei giorni dell'incontro, alle sue mani calde, al sorriso, alle piccole dosi di entusiasmo che ogni volta portava, alla camminata sul Monte col vento freddo in faccia, alla promessa non mantenuta di piantare gli alberi, mi preoccupavo forse senza riuscirci di nascondere agli altri la mia ubriacatura d'amore, la volontaria follia dalla quale mi ero lasciata invadere nei mesi addietro.

Il parroco parlava di cose che non capivo, al suo fianco un chierichetto lo aiutava a portare il conforto del rituale, ad alleviare il dolore di pochi e la curiosità dei molti con parole e gesti antichi. A me è venuto da scappare. Nell'aria l'odore dell'incenso e la litania delle comari. Conservavo nella postura l'idea della preghiera, la mente invece ardeva per la fuga. Sono uscita facendomi largo nella calca, il paese voleva esserci, partecipare, sentirsi ferito per una morte che, in fondo, non lo riguardava, per lo Straniero che cercava l'oblio in cima. Ho preso fiato, ma era respiro corto, non c'era abbastanza aria per me, e quella poca mi tornava subito nei polmoni, mi infettava delle mie stesse tossine. Ho atteso sul sagrato che la funzione terminasse, al mio fianco il Cane, che da quel pomeriggio non mi ha abbandonato.

Quando sono arrivata a valle il paese sapeva già, e si stava mobilitando per salvare lo Straniero. Ma non c'è stato nulla da fare, la valanga lo aveva colto nel sonno, in pochi secondi lo aveva seppellito nel suo letto, lo hanno trovato a tarda notte, il rifugio è ricomparso alla vista con i faretti che illuminavano le buche nella neve. Io ero già lontana, a casa, con la Guaritrice e il Cane, che si è salvato perché era nel bosco a cercare tracce, lui ha il cuore del lupo, che non lo fa mai del tutto sottomesso. E proprio a lui ho raccontato del mio aver amato lo Straniero con diffidenza, un poco alla volta, a lui ho dato le carezze che mi erano rimaste addosso, con lui mi sono presa la libertà di piangere ancora. Il Cane mi rende madre per la prima volta e alleggerisce il mio peso, curo chi cerca cura e trovo la consolazione più facile.

Davanti a me in chiesa c'era la figlia dello Straniero, nei capelli castani raccolti in un elastico e nella carnagione pallida era esibita la sua fragilità, lei che in prima fila fissava smarrita il prete senza sapere dove versare il pianto. Avrei voluto toccarle la spalla, ma cosa le avrei detto, cosa le avrei spiegato? La Rossa mi ha raccontato che vive in città e non aveva contatti col padre da anni, non lo aveva perdonato, così ha detto, e non ho avuto il coraggio di chiedere altro. La ragazza è ripartita subito e io sono rimasta a domandarmi perché lo Straniero mi avesse raccontato quelle bugie sull'arrivo della figlia, perché mai mi avesse nascosto che lei non lo voleva più. Le piccole menzogne lo hanno fatto però più umano ai miei occhi, hanno riequilibrato in me l'idea che avevo di noi, non lui sicuro e invincibile e io indecisa, ma il contrario, forse. La sua morte ha cucito nella mia esistenza un nuovo punto da cui ripartire, anche se nel silenzio della sera mi ritrovo a parlare al buio delle sue ferite che non ho voluto riconoscere. E ora scricchiolo a ogni passaggio, quando cerco il bagno nella notte o il letto a metà mattina, le ossa si sono fatte fragili come il vetro e non mi aiutano a resistere a quel che resta dell'inverno, fragili come il pianto che a stento trattengo negli spostamenti senza senso per la casa.

Abbiamo accompagnato la salma al piccolo cimitero, le donne chiuse negli scialli, gli uomini stretti nei cappotti buoni, l'auto con dentro il feretro scivolava sulla neve acquosa lasciando impronte di gomme, terra e fango, il giorno si era raccolto in una luce sporca che si andava disperdendo rapidamente, senza la cortesia di portare conforto, e fra le voci sommesse c'era tutta la stanchezza dell'inverno, nelle finestre gialle delle cucine che sembravano scortare la lenta processione tutta la mutua indifferenza che lo stare al mondo ti impone, se vuoi cavartela. La neve cadeva sottile e inconsistente, e non c'era nessuno ad aspettarla.

Non gliel'ho mai chiesto, e non me l'ha mai detto, ma avrei voluto sentirmi dire dallo Straniero che mi amava.

È stata la Guaritrice a salvarmi in questi lunghi giorni. Mi ha teso le mani vuote e sante, che mi hanno accolto e soccorso, mi ha accudita col suo sorriso ingenuo, col tocco gentile, con la premura dell'amore materno mi ha resuscitato, si è presa cura di me come mai ho fatto io, con la tenacia che mia madre metteva nel tenere in ordine la casa, con lo scrupolo che mio padre metteva nello scrivere una lettera. La Guaritrice ha riempito la casa dei suoi movimenti piccoli e graziosi, della sua saggia e simpatica follia, ha riempito le stanze dell'odore delle sue erbe, mi ha obbligato a bere le sue magiche pozioni. Si sedeva sul letto accanto a me e sorrideva, e poi si preoccupava delle cose insignificanti agli occhi dei più, mi faceva trovare la mattina un piccolo ciuffo di erbe, qualche fiore, mi ha portato un libro di poesie e mi ha chiesto di leggerglielo, nella sua lingua di gesti approssimativi mi spiegava la poesia, per come l'aveva capita. Si è impossessata di me e del mio spazio, mi ha aperto nuovamente il suo mondo di disadattata, e ha pensato al Cane, gli ha preparato il cibo che poi gli offriva con buffetti affettuosi sul capo, e lo ha fatto partecipe dei suoi affari di casa richiamandolo ogni volta a sé con lo sguardo. Andava e veniva, portava pane, infusi, minestre, biscotti, radici, tuberi, pasta, portava energia sana e cambiava l'aria alle stanze, la sua vita calma ha abbellito le mie aride giornate.

Una sera mi ha rimboccato le coperte, le ho afferrato il polso e l'ho tirata a me, le ho chiesto di restare, ha fatto no con la testa, allora le ho preso il viso minuto fra le mani per posarle sulla fronte il bacio maturo che si dà ai nonni, pieno di premura e gratitudine, lo stesso che concessi a mio padre, all'ultimo. Negli occhi aveva una piccola fenditura, quel che restava forse di un'antica bambina rifiutata, chissà, e mi è sembrata così fragile, timida e meravigliosa che ho pianto ancora. E allora lei mi ha preso nel suo corpo esile, i capelli come spaghetti dritti mi solleticavano le guance, e per il tempo della stretta mi sono sentita completa, al pari di quella ragazzina che trovava protezione nel grembiule della nonna dopo la sfuriata dei genitori. E quando ci siamo separate aveva proprio quello sguardo lì in faccia, quello di mia nonna, e di tutte le donne che sono state madri, negli occhi la compiutezza delle cose portate a termine.

Dopo due settimane ho iniziato a sentirmi meglio, più in forze, più lucida, non avevo fatto che pensare allo Straniero, ma nel contempo sentivo crescere in me la gioia del vivere, anzi del vivere in fretta, come i giovani, mi guidava ancora il desiderio di altre esperienze, la rigenerazione attraverso il cambiamento, tornava l'appetito e una cantilena dolce mi risuonava nella testa, le onde si andavano placando e l'alta marea mi riportava alla terraferma. Ero pronta all'esplorazione. La morte dello Straniero ha strappato un limite, mi obbliga a sopravvivere per rinascere ancora, inizia a muovermi l'ardore di sentire qualcosa di vivo dentro e attorno a me.

Col Cane sono tornata nel bosco dopo la catastrofe, ho riiniziato da dove sono ora, non da dov'ero prima, in una mattina piovosa che scioglieva la neve, fra la nebbia che ammantava gli alberi di polvere, mi sono liberata della vecchia pelle e ho strisciato come un serpente nella melma per trovare altra vita. Ho scovato le unghiate della lince sul tronco, le impronte del cervo nel terreno, mi sono spinta sul versante roccioso del Monte calpestando il guano dell'aquila che vigila sul ripido versante. Mi muoveva la fame di essere, la stessa che spingeva il Cane avanti, a rovistare fra i rovi, ero animale predatore sazio di cibo e senza paura nei movimenti, annusavo le tracce e non mi sentivo minacciata. Mi sono fermata dove ha sostato il lupo, ho bagnato le mani sulla riva sassosa di un torrente, mi sono inginocchiata ai piedi di un tronco marcio, ho seguito l'odore dei funghi e la macchia dei licheni nel muschio, cercavo il sollievo della vita attorno a me, camminavo sola pensando che il dolore non mi aveva addomesticato, conservavo intatta la caparbietà del fiore che cresce nella crepa del cemento. La foresta mi ha accolto e nutrito l'anima, e l'ho sentita mia quanto può essere mio il nocciolo interiore che mi abita dentro e mi muove, e che non ho mai avuto il coraggio di mostrare a nessuno, nemmeno a mia madre. Con gli aghi di abete fra i capelli ho ballato nel sottobosco, il silenzio assoluto e impenetrabile non mi rendeva abitante solitario, non siamo mai soli al mondo, lo diventiamo se smettiamo di ascoltare e ci asserviamo alla fretta, il vizio capitale del nostro tempo, se ci lasciamo sedurre dalla facile idea che la felicità sia da ricercare, non qualcosa a cui prestare attenzione.

Il suono di un ruscello che arriva da dietro il crinale, la luce tenue che attraversa i rami, lì dove un uccello nascosto prepara il nido, il dolce fruscio del fogliame al vento, l'odore di terreno bagnato e resina... il bosco mi porge ogni giorno le sue risate allegre.

E mi salva la vita senza saperlo, senza forse volerlo davvero.

Dormo sempre meno, stanotte mi sono alzata e ho cercato il cielo stellato, ho infilato il piumino e sono uscita, ad ascoltare il vento che spazza via l'inverno, la luce della casa si srotolava sul sentiero come un tappeto e i miei passi scricchiolavano sulla dolce neve. Mi sono seduta sul solito ciocco di legno e ho preparato una sigaretta con le mani tagliate dal freddo, sulle dita piccole ferite che bruciavano come se fossi stata per mare.

Dicono che la notte sia di chi se la sa godere, io credo che invece sia per chi ha da confessarsi, la notte non conosce giudizio e lascia spazio a chi non l'ha mai avuto, agli esclusi, è Dio che perdona i peccati del mondo, accoglie le paure del giorno e ti lascia parlare. Mi separavano un paio d'ore dall'alba, ma il bosco già cincischiava rumoroso, ho sentito anche il richiamo del Gufo dietro la casa, ma non ho voluto alzarmi, mi sono accontentata di saperlo sotto il tetto. Non c'è più l'attesa dello Straniero nelle mie ore, e nemmeno la presenza della Guaritrice, che forse non vuol farmi sentire più bisognosa di cure. Dovrò andare a trovarla uno di questi giorni. La solitudine non l'ho mai sentita nemica, e mai ho provato ad amare per scamparla, ma, se non voluta, può essere la più crudele fra le prigionie. Non cerco presenza fissa al mio fianco, mi servo dei gesti dei più piccoli fra i piccoli, del verso del Gufo, dello scodinzolio del Cane, della visita della Volpe, attenzioni che mi sottraggono alla pena peggiore, quella di non contare per nessuno. A volte mi scopro a maledire lo Straniero, vorrei non avesse incrociato la mia strada, ma è un attimo, poi mi torna alla mente il suo bacio scarnificante e tutto riprende a tacere in me.

Questi lunghi mesi mi hanno cambiata, avvicinata a me stessa e al progetto di esistenza che mi ossessionava, anche se non è stato semplice. Lo scorrere lento della vita mi ha arricchita, il lungo inverno selvaggio mi ha portato amore e lutto, mi ha spellato le mani e spaccato le labbra, tolto il respiro lungo e il sonno, indebolito le ossa e seccato la pelle, ma dentro mi ha potato i rami secchi, mi ha reso giardino lussureggiante, robusta e piena di energia vitale, mi ha fatto lupo errante e mi ha donato ciò che avevo chiesto, il saper godere della poesia del minuscolo, che in cima a una montagna dura un po' più che altrove. Mi ha trasformato in amica solidale delle pietre, dei ruscelli, degli alberi e degli orsi, mi ha sottratto a un'umanità che per un po' avevo creduto erroneamente ostile. La montagna mi sta insegnando anche questo, a non sospettare dell'uomo, così come mai ho sospettato dell'albero, dell'orso o del cervo, mi accoglie fra le sue pendici per restituirmi un domani alla mia specie senza più veleno addosso. Non so quando scenderò a valle, per adesso mi preparo alla primavera, ma so che la persona che tornerà sarà diversa da quella che è partita.

Chi attraversa il bosco porta a casa con sé i suoi odori, il terreno e le foglie secche.

Inevitabilmente.

La neve occupa ancora gli spazi, la si annusa nell'aria, anche se a metà mattina il sole scioglie i grumi sulle lose del tetto e dietro il vetro della cucina le gocce precipitano vinte al suolo, una dietro l'altra, con un riverbero dorato che ricorda la danza di tante piccole fate.

Oggi la Volpe è tornata, approfittando dell'assenza del Cane, il quale ha ripreso ad allontanarsi con lunghe passeggiate nel bosco. Inizialmente si fermava sul limitare della zona alberata, nascosto fra gli abeti e i larici puntava il muso alla baita per non perderla di vista, gli odori della foresta lo attiravano, la paura lo frenava. Gli lanciavo piccoli incitamenti da lontano, con versi e gesti spicci lo spingevo ad andare a scavare e a cercare tracce, voglio conservi in sé quello che desidero per me, la possibilità e il coraggio di scappare. Poi una mattina si è svegliato con l'orizzonte negli occhi e fuori ha fatto un passo in più, si è inoltrato nel bosco e l'ho perso di vista. E dopo un po' si è presentata la Volpe, che in questo mese ha atteso paziente scrutandomi da lontano. Una sera la Guaritrice ha anche tentato di avvicinarla, ma lei è fuggita via. E ora è tornata, per il cibo, certo, perché non c'è il Cane, ma anche perché, lo so, ha imparato a conoscermi, ha rivisto in me il passo leggero che mi muoveva prima. L'ho trovata smagrita, il pelo opaco aveva addosso l'inverno trascorso, gli occhi le guizzavano di fame, nei movimenti decisi con i quali mi cercava c'era però la determinazione a darmi fiducia. Mi sono rintanata dietro la porta di casa per farla avvicinare, con le orecchie attente e la camminata del predatore è venuta a grattare il legno, sono uscita all'esterno e le ho offerto un piatto di verdure crude, mi sono rannicchiata alla sua altezza, ci distanziava un metro, lei mangiava senza troppa avidità, e dal pelo saliva l'odore rancido di terreno e feci. Le ho fatto compagnia silenziosa puntando lo sguardo al massiccio del Monte dall'altra parte del versante, il cielo strideva d'azzurro e spingeva le montagne in primo piano. Le carote scrocchiavano sotto i denti aguzzi della mia amica e io combattevo la strenua battaglia per non spostare lo sguardo oltre la Valle, dove prima c'era il rifugio. Da un mese mi muovo con una prospettiva limitata, circospetta, cerco di non cadere nel tranello che mi tende la montagna, che mi vuole spettatrice del vuoto bianco lasciato dalla valanga.

Mi sono seduta sull'uscio facendo poco rumore, nelle mani una tazza di tè, la Volpe non ha smesso di masticare e guardandola ho pensato a quanto duri sempre troppo poco la perfezione. Io e lo Straniero ci siamo amati il tempo di un giorno o poco più, come le farfalle, che si posano a prendere il sole e portano bellezza, e poi d'improvviso volano via, ad accoppiarsi, forse, o a morire. Non c'è niente di più transitorio di un attimo di felicità, di un ricordo che il tempo prenderà con sé, niente di più effimero delle cose dell'uomo. Io e lo Straniero siamo già passati, come passerà questa Volpe, il ronzio di una mosca che domani non ci sarà più, il verso di un uccello, che canta indifferente alle cose che finiscono.

Attorno a noi il mormorio della giornata si andava spegnendo, la Volpe a breve sarebbe fuggita, ho terminato di bere il tè e ho pensato che non mi basta più esistere, voglio vivere, nonostante il dolore. È finito il mio rapporto con lo Straniero, è finita la sua vita, non finirò io, occuperò lo spazio che era suo, abiterò la sua vita come se fosse la mia, lo farò partecipe con me della primavera che sta arrivando, e che cambierà tutto. Cambierà di nuovo anche me.

La Volpe si è allontanata con un saltello e si è girata a

guardarmi, la lingua cercava il sapore del pasto sui baffi e le orecchie prestavano attenzione a ciò che c'era attorno. Nello sguardo mi è sembrato di riconoscere gratitudine, allora ho sorriso alla capacità che hanno gli animali di non dare le cose per scontate, poi le ho fatto cenno di andare, che sarebbe arrivato il Cane.

Intorno a me solo la fine del pomeriggio che mi avvolgeva in una luce tenue, nell'aria c'era il silenzio che dà valore alle cose, ho chiuso gli occhi e addolcito il respiro, pretendevo il controllo del cuore, la calma del gatto che sta sul muretto di campagna. Il Cane mi ha tolto dalla quiete ristoratrice, è tornato col fetore del bosco appiccicato addosso, mi ha affondato il muso nel collo con uno sbuffo umido, fra il pelo ho riconosciuto i miei odori, la terra bagnata, i funghi, la resina, dalle zampe gli saliva il puzzo di carne avariata. E però in mezzo a tutto galleggiava come nebbiolina un profumo dolce che non mi ha dato il tempo di oppormi, profumo di uomo, di pipa e dopobarba, qualcosa di stantio ma familiare. Il Cane ha mugolato nel mio abbraccio e io mi sono arresa al pianto dei bimbi che cercano la consolazione della madre dopo aver inutilmente tentato di resistere, e si abbandonano.

Nell'aria, e dentro di noi, abbiamo sentito lo Straniero.

Aprile

Accade da un po', una coppia di corvi mi viene a trovare e mi riempie di doni, mi rende regina che riceve i suoi sudditi, e solo perché per qualche sera ho lasciato degli avanzi di cibo sulla staccionata. Si presentano puntuali con i loro regali stretti nel becco, sono essenza di nero e mi rapiscono ogni volta, le ali gonfie di vento, vele che navigano verso la luce, paiono sogghignare come astuti pirati al ritrovamento di un tesoro. Sono attratti dal luccichio, lo cercano nel terreno e mi portano tappi, pezzi di vetro colorato, bacche, persino caramelle gommose lasciate da viandanti distratti. Sono i miei Re Magi che accolgo con deferenza.

Li aspetto sul ciocco, nel primo pomeriggio, le ore di stanca ritmate dal respiro sbuffante del Cane accucciato al mio fianco, che invece gli riserva un'ostentata indifferenza, non vede in loro prede o rivali. Arrivano con un guizzo, si posano sulla staccionata, e ridono di me o di chissà cosa, con movimenti rapidi del capo si impicciano del mio mondo prima di cedermi i preziosi. Restano poco, il tempo di arraffare ciò che gli spetta, poi frullano nell'aria e spariscono oltre la montagna, cercano dall'alto il verme nel terreno, e le loro ombre scorrono sulla morbida neve. Si mescolano nel volo, uniscono le loro vite per sempre, esseri monogami che per natura non sanno l'individualismo e vivono nella pace dell'accordo, nemmeno li sfiora il timore di sentirsi uniformi. Non so se provino riconoscenza per il mio gesto, il nostro sembra più un accordo di buon vicinato, io faccio la mia parte e lascio ciò che resta del pranzo, loro tornano a trovarmi puntuali, hanno la premura di ricordarmi che la vita è fatta di piccole attese, di ritrovati appuntamenti.

Ho pensato di conservare i doni nel vecchio portagioie di mamma, che un tempo conteneva anche uno specchietto. Ai suoi anelli di poco valore affido un tappo o un bottone, un seme o una chiave arrugginita, rimasugli di vita che le persone si lasciano dietro. Non ho mai indossato i suoi orecchini, le mie dita non conoscono la stretta fedele di un anello, non porto bracciali, ho la pelle libera, ma nel tornare a scavare lì dentro ho avvertito lo stesso sfrigolio di quando ero bambina, quando, nella controra piena del canto delle cicale e del russare dei miei, mi guardavo ricoperta di ornamenti nello specchietto, immaginandomi donna fatta. Era il mio modo di scendere a patti con l'isolamento, che allora mi pareva prigionia.

Sono tornata alla fattoria, ho ripercorso la strada che mi indicò lo Straniero, il Cane mi precedeva col muso dell'esploratore e il passo veloce, come già sapesse. Siamo saliti e poi ridiscesi lungo il crinale del Monte, una coperta rattoppata di neve che si andava sciogliendo e che mi ha lasciato ben presto gli scarponi pieni di fango. Qualche sasso affiorava nel bianco, la discesa era leggera e l'aria seta fine sul volto, gli abeti ai bordi della radura parevano già fuori dall'inverno. Il Cane ha preso a correre in circolo, dalle zampe sprigionava la gioia dell'esser vivo, gli ho sorriso da lontano e ho deciso di provare a prenderlo. Il sole mi toccava pienamente dopo mesi e faceva di me un'altra, mi portava a fioritura con la stessa cura prestata a un ciliegio, giorno dopo giorno mi allontanava da tutto ciò che era stato. Il Cane ha accettato il gioco, ha corso più forte abbaiandomi contro finché sono crollata sulla neve, sopraffatta ho spalancato le braccia, in cerca di resa e perdono, e mi sono persa nell'azzurro del cielo con i capelli sparsi come sterpaglia, il fiato mi schiacciava il torace. In faccia sentivo di avere lo stupore che ti prende quando capisci di essere ancora viva, le guance rosse mi pulsavano di sangue sperperato per lo sforzo. Il Cane si è avvicinato col respiro corto, mi ha messo il muso freddo nel collo e ha avuto la carezza che cercava, mi sono aggrappata al suo pelo e lui ha finto di mordermi la mano, poi si è steso al mio fianco, a recuperare le forze. Avevo ghiaccio ovunque, ma ogni centimetro di pelle martoriato mi faceva sentire beata. Ho tenuto stretto il mio impavido Cane e gli ho sentito il cuore nel petto, il nostro abbraccio è durato poco, ma teneva dentro tutto il fuoco che serve.

Noi viventi siamo una cosa impossibile, inverosimile, un prodigio, eppure siamo.

Il fattore mi ha atteso da lontano con la mano alla fronte per fermare il sole, il suo cane ci ha visti per primi ed è corso docile incontro al mio, a metà strada lungo il pendio si sono ritrovati. Poi è uscita lei, i capelli raccolti in un foulard rosa, esibiva l'accoglienza con il braccio proteso nel saluto e un sorriso che le apriva il volto. Ci siamo uniti piano, i loro gesti ostentavano un poetico imbarazzo, gli occhi non mi cercavano, lui mi ha stretto la mano, lei mi ha preso le braccia, sopra il labbro aveva un velo di sudore, l'aria profumava di caglio e il gallo cantava nell'aia. Mi hanno portato in casa, nell'assenza di parole mi hanno offerto di sedermi, ho occupato il capotavola in cucina, l'odore di marmellata teneva insieme le cose. Lui mi ha chiesto in che stato fosse il sentiero per arrivare, se c'era ancora tanta neve, lei se avessi bisogno di qualcosa. Ho risposto che mi servivano latte, ricotta, formaggi duri, quello che potevano darmi, ma che ero venuta soprattutto perché desideravo rivederli, ripercorrere il tragitto, e poi dovevo sapere del vitello, se era cresciuto forte e sano. Lui ha sorriso prima di tornare nella stalla, lei invece mi ha dato le spalle per prepararmi un tè, c'era nella stanza la sensazione che non avessimo detto abbastanza, allora le ho confessato che non ero in cerca di compassione. Lei si è voltata piano, avrebbe voluto forse ribattere, spiegarmi che la compassione è la sua religione, che dovremmo averla tutti, per ogni essere vivente, fare nostro il sentire dell'altro. Ma non ha detto nulla, ha abbassato lo sguardo e sorriso timida mentre portava le mani al grembiule annodato in vita. E io ho pensato che a volte la gentilezza è semplicemente restare in silenzio.

Abbiamo bevuto col sole per metà sulle spalle, ci riparava come uno scialle, poi abbiamo raggiunto il marito e i figli nella stalla, ci guidava il profumo del fieno. All'interno, uno dei ragazzi sedeva su un mucchio di paglia, intagliava svogliato un bastone con il coltellino, il più giovane era accanto al padre, l'odore della stalla mi ha dato alla testa, era come ritrovare lo Straniero in quel fienile, recuperare un tempo andato, seppur vicino.

Ho stropicciato gli occhi per abituarmi alla semioscurità e mi sono messa in un angolo, come la prima volta. Le mucche muggivano, ma non sembravano turbate, nei loro occhi grandi non ho incontrato timore, neanche curiosità, vedo nella loro piccola esistenza la serenità che noi non troviamo. Il vitello era cresciuto, aveva il muso vispo e occhioni scuri e vivaci, e un abbozzo di corna, si è lasciato accarezzare mentre con la lingua mi cercava le dita. Il fattore mi ha chiesto se volessi provare a mungere la vacca più grossa, dal bel mantello pezzato, che muggiva come già sapesse mentre lui le lubrificava i capezzoli con acqua e sapone. Una corda robusta la teneva legata a una sbarra di legno. Ho detto di sì senza pensarci e lui mi ha fatto posto sullo sgabello, ho messo il secchio fra le gambe, come da bambina, col ricordo delle mie piccole mani cinte da quelle nere e robuste del contadino, che mi alitava sul viso l'aglio e il vino dell'ultimo pasto, mentre dall'animale usciva a spruzzo il latte che con l'aiuto di papà avrei portato fiera a casa, da mamma.

Ho avvolto le mani intorno a due dei quattro capezzoli e ho stretto la base con indice e pollice, ma non usciva nulla, l'uomo si è portato dietro di me e ha spinto in giù la mammella con la forza che non mi ero permessa di usare, e un fiotto di latte è caduto nel secchio risuonando metallico. Le sue mani si sono strette intorno alle mie, come accadeva allora, giusto il tempo di aiutarmi a prendere il ritmo, movimenti alternati, prima un capezzolo, poi l'altro, e sono rimasta sola a mungere, finché non ho sentito le mammelle sgonfiarsi nel palmo e sulla schiena ho avvertito il sudore che viene dalla fatica, finché il secchio tra le mie gambe si è riempito, caldo come il caldo che scendeva dal ventre dell'animale. Quando infine mi sono voltata, dal sorriso degli altri ho capito che sotto gli occhi bordati di piccole gocce stavo sorridendo anch'io.

Mi hanno pregato di restare e non ho saputo dire di no, ho cenato alla loro tavola, ho goduto del privilegio di essere partecipe di un rituale che si ripete ogni sera, la promessa che tiene insieme una famiglia. Ho consumato una zuppa di farro con avidità, nei gesti avevo la fame del cane che continua a leccare la scodella vuota, ho trascorso il dopocena con lei, abbiamo parlato poco, ma ci siamo capite, e ho dormito in un letto improvvisato, nella stanza del camino che crepitava gli ultimi brontolii cedendomi un piacere solido, nell'aria l'odore del pane messo a cuocere. Il Cane ai miei piedi che russava tranquillo e il pensiero allo Straniero, che mi aveva fatto conoscere quel luogo custode di cose semplici e meritevoli.

La mattina seguente sono ripartita con le provviste nello zaino, latte, ricotta, burro, formaggi, pane, da ultimo mi hanno consegnato delle uova fresche. Li ho abbracciati a lungo, uno a uno, nella prima luce del giorno mi sono presa il sorriso genuino e un po' della pace delle persone buone. Li ho salutati per l'ultima volta da lontano, a metà del pendio, hanno sollevato tutti e quattro la mano e lei si è fatta il segno della croce. E mi è sembrato di ricevere una benedizione.

Quassù tutti hanno un nomignolo, un aggettivo che li contraddistingue, Benefattrice è quello che ho deciso di dare alla mia nuova amica.

Un pomeriggio nel sottobosco un timido bucaneve spuntava da un coagulo di neve, si ergeva fiero, metà nell'inverno e metà nella primavera. Il Cane gli ha offerto il muso per poco, poi si è messo in cerca d'altro, io invece mi sono appoggiata a un tronco marcio e sono rimasta a guardare il bocciolo a forma di campana che col suo bianco latte osava sfidare ciò che restava del ghiaccio. Il suo sollevarsi minuscolo al di sopra della terra bagnata mi appariva atto di ribellione e sopravvivenza, mi parlava di speranza e mi ha commosso, un piccolo fiore a dirmi che vivevamo tutti senza futuro, e che il nostro compito primario è attendere il sole che verrà, per aprire ancora un giorno la corolla.

In alto un cielo pallido scivolava veloce verso l'orizzonte, era in agguato la pioggia sulle cime. Quando sono tornata con lo sguardo al bucaneve, accanto a me ho trovato la Guaritrice, che si muove nel bosco col passo invisibile del folletto. Ho indietreggiato per lo spavento, lei mi ha sorriso e carezzato i capelli, il suo modo per chiedermi come stessi, mi sono alzata con un balzo e l'ho abbracciata, mia adorabile strega, le ho sussurrato nell'orecchio, e lei ha sorriso di nuovo, chissà se aveva capito. Mi ha preso per mano e mi ha spinto a seguirla, il Cane le ha annusato i panni logori e ci è venuto dietro. Cantava senza parole la Guaritrice, un suono gutturale che rallegrava me e gli abitanti del bosco, negli occhi il solito scintillio della follia buona, le pupille erano opere d'arte e mi mettevano di buonumore. La sua energia non ha direzioni e mi appare ora come l'unica via di uscita, può servirmi a svitare gli ultimi arrugginiti bulloni della corazza che ho a protezione, e che non protegge mai davvero nessuno.

Abbiamo raggiunto la sua vecchia baita nascosta dai larici, e mai prima avevo sentito il gorgheggio di un ruscello che segnava il confine a monte della casa. Lungo il tragitto si è piegata a raccogliere dei ciuffetti di erbe che non conosco, crescevano nel sottobosco come vipere timorose, negli angoli senza sole, al riparo di un arbusto o accanto a un masso. La sua mano rattrappita si chinava a prenderli per poi passarli sotto il naso. Si è avvicinata a un abete rosso e con un coltellino ha inciso la corteccia, ha raccolto in un vasetto di vetro la resina che colava. Mi dava l'idea di godersela, e io con lei, l'idea che non potesse esserci altro al mondo oltre quello.

L'esterno della sua casa profumava di erbe aromatiche, sul terreno nero stava una vanga dopo il lavoro. Mi ha condotto fra i camminamenti ricoperti di sassolini, a mostrarmi le sue colture. Si è chinata a strappare un rametto da ognuna e me l'ha messo fra le mani, quasi spintonandomi, e mi sono trovata piena di terra, e ho rivisto la sciocca felicità di bambina, affacciata alla finestra che dava sul piccolo orto, che risorgeva a fatica ogni primavera. Il fiotto d'acqua dalla pompa irrorava i pomodori di primo mattino e spesso mi toglieva dai brutti sogni, correvo fuori e trovavo papà appoggiato alla pala luccicante al sole, il sudore gli tagliava il viso pieno di gratitudine. Un po' di terra attorno, un orticello e il bosco, non serve altro, amava ripetere. Ma l'orto ti fa sedentario, è una scelta definitiva che non ho ancora il coraggio di compiere.

In casa un gatto dormiva sulla mensola del camino, un altro che non avevo mai visto, con le sembianze della tigre, stava sul bracciolo del divano. L'aria era satura di fumo di legna e non solo, sudore e sangue si mischiavano all'aroma della belladonna. Ho arricciato il naso e strizzato gli occhi, avrei voluto aprire le finestre, d'un tratto mi avvertivo prigioniera, ma non ho avuto il tempo, la mia amica mi ha spinto nella sua stanza, e nel piccolo letto c'era una ragazza bionda e bianca in volto, negli occhi chiari la vergogna. Sotto il materasso un secchio di rame, la camera puzzava di vomito e urina. La Guaritrice mi ha carezzato la mano per lenirmi il disagio, ho inspirato e ho fatto come diceva, mi sono seduta su una sedia impagliata accanto al letto. Sentivo nell'aria l'equilibrio instabile prima del temporale, quel buio pieno di silenzio e attesa, volevo capire, domandare. Lei è tornata in cucina, la udivo muoversi fra le pentole, ho chiesto alla ragazza il nome, ma mi ha tolto lo sguardo e ha puntato la finestra. Il vento fra gli alberi era tempesta, abbiamo atteso insieme il tuono.

Non piangeva che con gli occhi, ma le lacrime le prendevano le labbra socchiuse, avrei voluto pulirla, ma non osavo. Teneva le mani esili incrociate a protezione sull'addome prominente che incurvava le coperte, e nella bocca piegata lo smarrimento di chi affronta la vita adulta senza preparazione. Il Cane cercava col muso il secchio pieno di urina e tracce di sangue, l'ho cacciato e le ho chiesto di nuovo di parlarmi, ma lei non si è mossa. La Guaritrice è tornata con un pentolino caldo in una mano e una tazza nell'altra, ha versato la tisana bollente e ha aiutato la ragazza a tirarsi su. Ha atteso che finisse di bere per posarle una mano sulla pancia, le dita coprivano l'intero ventre, ha preso a massaggiarla con movimenti circolari, e con la gola riempiva la stanza di una nenia dolce che portava calma alle pareti. La ragazza si è addormentata, sono sgusciata leggera accanto alla Guaritrice e sono uscita, il Cane dietro di me. Ho trovato il conforto di un vecchio faggio a sostenermi, il nutrimento dell'aria fredda mi ha scosso e reso lucida, l'inverno restituiva colore alle mie guance, e mi sono arresa alla pioggia senza darmi pena, le ciglia imperlate di gocce. La Guaritrice è venuta a recuperarmi, mi ha pregato con gesti confusi di rientrare. Ero piena di domande, ma l'ho seguita. Ho capito che aveva bisogno di una mano per far nascere quel bambino che nessuno voleva, ho capito che aveva convinto la ragazza a non rinunciare a un figlio nato per troppa fiducia nelle persone. Mi pregava di soccorrere una donna sola che avrebbe messo al mondo un bambino solo. Mi è venuto da piangere, l'ho supplicata di guidarmi e ho preso la mano della ragazza fra le mie, questa mi ha restituito lo sguardo e ha sussurrato qualcosa in una lingua che non ho compreso, forse un grazie. Aveva negli occhi la lealtà che devi a chi è con te in battaglia.

Ho visto quella donna essere una e poi diventare due, ho inspirato l'aria nauseabonda della stanza fatta di escrementi, sangue, esalazioni umane, ho digrignato i denti per resistere alle urla di lei che spingeva, e le tenevo la mano con tutta la forza che mi ha permesso di restare al mondo. E poi d'incanto la ragazza si è trasformata davanti ai miei occhi, prima ancora della nascita si è fatta madre, nei lineamenti e nei gesti, nella serena sopportazione che le ha preso il volto, nel respiro quieto che le ha appianato il torace, nella resa del corpo. Qualcosa in lei sapeva quando partorire, e nella stanza è sceso il silenzio, e ho potuto sentire il picchiettio della pioggia sui vetri, poi il potere della vita è uscito dal corpo gravido come uno spruzzo caldo e io ho trattenuto nel petto tutto il respiro e lo stupore per il tempo che il neonato iniziava il suo primo pianto nel mondo. Ed è venuto il pianto per me a lungo trattenuto, ho cercato il sostegno della finestra, la fronte al vetro che ho appannato col fiato corto e con le lacrime mentre pensavo allo Straniero e al pomeriggio nella stalla, al vitello che veniva fuori dal niente.

137

La nostra vita è costellata di nascite, eppure dentro ci restano sempre e solo le morti.

La bambina è sana e bella, nata dopo la mezzanotte, è venuta al mondo fra mani di donne e si porterà dietro un nome di donna che io non conoscerò. Non ho osato chiedere dei genitori di lei, del padre della bambina, di come e dove crescerà. La Guaritrice ha zittito i miei dubbi prendendomi le mani fra le sue per poi baciarle. Sfatta, ho cercato riposo nel soggiorno, la notte era un pugno nero al di là del vetro, mi sono rannicchiata sul divano, la brace moriva nell'indifferenza, il Cane mi è balzato addosso per accucciarsi ai miei piedi, tenendomeli caldi, ma non sentivo freddo, mi alitava dentro quel piccolo fuoco nascosto che da sempre mi mantiene in vita nelle notti buie. Ho dormito poco e male, con la prima luce del giorno mi sono alzata, avevo dolori dappertutto, la bimba dormiva sulla pancia della madre, prendendosela con un abbraccio, cercava il calore di prima, la compagnia del battito. La ragazza aveva sul viso la fierezza della guerriera, e nella stanza c'era il silenzio immutabile che porta la spiritualità. La Guaritrice riposava in un angolo, raggomitolata sulla sedia a dondolo, il respiro irregolare di chi dorme da poco, come il comandante che lascia per ultimo il campo di battaglia. Aveva il mento sul torace e la schiena curva, e mi ha riempito d'impeto incontrollabile, avrei voluto svegliarla e abbracciarla ancora, dirle grazie, lei povera pazza, strega matta e fattucchiera, che vive senza paure, come dovesse farlo per sempre, e raccoglie e rattoppa le fragilità degli altri. Sono andata via, non volevo svegliarla e sentivo il bisogno di tornare a casa, il Cane mi premeva il muso sulla gamba, non avevo la forza di pormi altre domande.

Mi sono allontanata nell'ora dell'alba, il grigio era oltre e il sereno rompeva da lontano, mi indicava la via per la baita. È primavera, ma addosso ho il freddo dell'inverno, il vento mi scortava piegando le cime degli abeti e il terreno acquitrinoso mi schizzava i pantaloni. È primavera, e ho capito di aver attraversato incolume la tormenta.

A casa mi sono liberata dei vestiti, sulla pelle sentivo l'odore del sangue non mio, in testa avevo la voglia dell'orgasmo, nei gesti la fretta che ti prende quando cerchi la rivincita. Ho appiccato il fuoco sbagliato, che avrebbe bruciato il legno in poco tempo, e nuda davanti alle fiamme d'inizio, prima ancora di preparare la colazione e nutrire il Cane, ho ringraziato quel Dio con cui parlo poco e che per quanto ne so potrebbe anche essere una vecchia dai capelli crespi e bianchi. L'ho ringraziato per avermi fatto minuscola partecipe di qualcosa che non conoscerò mai a fondo, per avermi spinta fuori dalla tempesta, per la nuova primavera. Perché in una notte ho capito ciò che non capivo, ciò che mi tocca compiere e che dà un senso alla mia sopravvivenza: aiutare le piccole cose del mondo a sbucare dal niente e farsi vita, in ogni variegata forma. Ho compreso quello che intendeva lo Straniero quando mi parlava di piantare alberi.

Il cielo dietro la finestra era gonfio di candore mattutino e le cime innevate tintinnavano al sole quando il mio sguardo è tornato infine a posarsi lì dove c'era il rifugio.

Una sola notte mi ha tolto la paura.

Mi sono alzata a sedere nel letto, il Cane è arrivato preceduto dal solito ticchettio d'avvertimento e mi ha offerto il muso umido, cercava la mano con la lingua, il suo modo di darmi il buongiorno. Ho aperto la finestra e il profumo degli abeti rossi è entrato in casa tutto in una volta, mi ha portato sotto il naso la memoria delle colazioni di bambina, i vasetti di miele di gemme che mamma metteva in tavola accanto alla marmellata e al pane nero. Ho chiuso gli occhi e respirato l'aria buona, l'odore dell'erba che tanto mi mancava in città, trattenendomi dall'andare in bagno per non profanare il momento. Le essenze addormentate nei mesi bui ora lasciano le foglie, salgono dal terreno e si liberano dagli arbusti, mi portano in casa coriandoli colorati. Nell'intreccio fra l'odore del bosco e quello del caffè sul fuoco ho deciso che avrei utilizzato il giorno per raccogliere gemme per il miele, avrei messo cura in una cosa piccola e bella.

Sono salita lungo il versante nord, indosso solo una maglietta, avevo il fiato libero e il corpo pieno d'ossigeno rispondeva fedele alla mia volontà. Ho cercato le gemme di abete rosso, piccole e brillanti, di un verde acceso, le estensioni dei rami che spuntano in questo periodo, distribuendo la raccolta su diversi alberi per non fare troppo male a nessuno di loro, non deprivare un'unica pianta. Camminavo libera nell'incastro di abeti, costruzioni di legno piramidali alte cinquanta metri, che al vertice si fanno fragili pur di continuare a crescere e raggiungere la luce. Ancora oggi mi appaiono giganti solitari ma felici, tribù di eleganti saggi che convive in pace, senza un capo, anima unica che sussurra dalla notte dei tempi un'antica lingua.

Ho imparato ad amarli da bambina, con mia madre che mi portava nel bosco a giocare, me li metteva accanto perché venissi su dritta come loro. Mi insegnava ad appartenere a qualcuno, e ora so che nelle sue preghiere sottovoce chiedeva a quegli alberi di vegliare su di me. Io cercavo senza riuscirci di prendere tutto il tronco fra le braccia, li usavo per l'arrampicata, per conoscere il valore della mia presa, testavo la mia resistenza, la forza che avevo dentro e che iniziavo a percepire. Seduta sui loro rami, ascoltavo gli abeti parlare al vento, li immaginavo piegarsi ad accarezzarmi, e nelle estati tutte uguali imparavo la pazienza, il tempo scorreva piano e ci rendeva alti e robusti, sperimentavamo insieme il miracolo della lenta crescita, cambiavamo perché tutto attorno cambiava. E in quei pomeriggi mai ho visto un solo albero infelice, loro padroni di altruismo, capaci di ospitare tante piccole forme di vita differenti. So che se pianterò alberi, come voleva lo Straniero, starò piantando un'anima capace di crescere e collaborare per l'eternità, starò costruendo case per milioni di abitanti nei secoli. Scoiattoli, cinciallegre, gufi, cuculi, api e formiche, picchi e ghiandaie, volpi e topini, lumache e farfalle, martore e colombelle, allocchi, ghiri, passeri e picchi, grilli, ricci e ragni useranno ciò che io avrò contribuito a innalzare, e i funghi banchetteranno al suolo di questo santuario che rinsalderà la montagna e mi farà sentire di non aver vissuto invano.

Il cielo era un mosaico di raggi di sole che filtravano fra le chiome, e sui rami gli uccelli si spostavano con un saltello al mio passaggio, infastiditi. Ad altezza d'uomo l'abetaia spruzzava il paesaggio di un rosso spento, lo scuro della corteccia delle conifere rendeva l'aria cupa, anche se i colori non erano più quelli dell'inverno. Il bosco stava cambiando d'abito in punta di piedi. Il Cane mi ha seguito tutto il tempo col passo curioso, il muso alle mani per annusare le gemme raccolte, dall'odore pungente.

Ho sostato al ritorno su un sasso sporgente macchiato di muschio ai cui piedi cresceva intimorito un piccolo fungo sperso, e una chiazza di neve approfittava del punto di buio per vivere ancora. Una lunga e folta fila di formiche rosse era diretta verso un tronco a me vicino, alcune lo prendevano a salire senza fatica, altre a scendere, un viavai laborioso dal cibo al formicaio. Il Cane era già oltre, seguiva tracce diverse dalle mie, mi sono rintanata in me, con le braccia conserte ho assistito alla lunga e silenziosa processione. Vi è qualcosa di sacro nella vita non consapevole, in ogni essere che non sa di esistere, nelle formiche, nell'edera o nelle api, nel lavoro di ogni giorno che non vuole domande e non pretende risposte, cerca solo il pane quotidiano.

Questo pensiero mi ristora.

Con il miele delle gemme raccolte ho riempito cinque vasetti, li ho trovati accatastati nello sgabuzzino, ho dovuto prendere lo scaletto per arrivare lassù, era pieno di cose impolverate, mia madre le metteva da parte per un domani che non sarebbe arrivato mai. Come le tovaglie buone nella credenza della stanza da pranzo, o le lenzuola ricamate della casa di città, i copriletti all'uncinetto, i piatti bordati d'oro e i bicchieri di cristallo, oggetti che passano di vita in vita, accumulano anni e polvere senza sconfitte né vittorie, senza scopi se non quello di testimoniare, con il loro passaggio di mano, l'avvenuta successione. Alla fine, arrivano e se ne vanno le occasioni importanti, passano anche le esistenze, mentre siamo distratti da altro, e così loro, le cose messe da parte, restano da parte ancora un anno, una nuova vita.

Insieme ai barattoli ho tirato giù una vecchia tovaglia con ricami arancioni, l'ho distesa al sole e poi sulla tavola lisciandola con il palmo della mano, che l'inverno mi ha reso ruvido. L'odore di naftalina che saliva dalla stoffa mi portava la malinconia bella, l'ubriacatura priva di allegria, che ti fa quasi incosciente, rallenta i battiti e ti mette in testa i ricordi tutti insieme. Mamma che stipava avanzi, papà che riponeva con meticolosità lo spago spezzato nel cassetto degli attrezzi, fragili tentativi di conservazione della vita che invece si disfa, come ogni cosa in natura.

In cucina mi hanno guidato le movenze che erano di mia madre. Ho lavato le gemme e le ho messe a bollire per un quarto d'ora, con un coperchio sulla pentola, poi ho spento il fuoco e le ho lasciate in infusione l'intera notte. La mattina dopo avevano preso il colore della torba, il verde brillante era tutto nell'aroma dolce che profumava la casa. Ho strizzato le punte e ho filtrato gli aghetti con un setaccio, ho aggiunto lo zucchero e rimestato di tanto in tanto, il liquido lentamente si è fatto del colore della corteccia, rosso bruno. L'ho lasciato raffreddare e l'ho travasato nei barattoli. Stamattina ho fatto colazione su quella tovaglia che odorava di vecchio, ho aperto le finestre per spazzare via i rimasugli di tristezza, in un piattino avevo il pane spalmato di miele di gemme. L'ho gustato piano guardando il bosco davanti a me, il muso del Cane mi premeva fra le ginocchia per la consueta supplica di cibo. Dalla finestra giungeva l'aria fredda che cala dal Monte di prima mattina, da valle invece risuonavano le campane a festa della chiesa, e mi sono ricordata che era giunta la Pasqua. Ho terminato la colazione e ho preso la via dei boschi in discesa.

C'era da festeggiare la resurrezione.

Con le sue parole decise e posate il sacerdote riempiva d'echi la chiesa gremita, sono entrata con discrezione mentre recitava solenne l'omelia, nei gesti la voglia e la presunzione di spiegare Dio. La mia mano destra ha tracciato il segno della croce sul corpo, per abitudine di bambina soprattutto, e ho superato i fedeli che osservavano muti l'uomo sull'altare protendersi davanti al grande crocifisso del colore dell'oro. Ho preso la navata laterale, negli occhi una croce diversa e più piccola, più umile, due legni grezzi tenuti insieme con un pezzo di corda, tirati su dalle mani intirizzite di un montanaro, chissà quando. La croce in cima al Monte, che raggiungemmo io e lo Straniero in un giorno d'inverno dove tutto appariva possibile, le pietre di ringraziamento ai suoi piedi la tenevano dritta al vento e il respiro e le preghiere degli uomini passati prima di noi sembrava di sentirli sulla pelle. La croce messa dall'uomo a protezione dell'uomo, della Valle, la croce che omaggia la magnificenza della natura e testimonia la gratitudine di chi la abita. La mia religione, mi sono detta mentre cercavo un posto, è tutta qui, due legni su una vetta, è ringraziare per le piccole dosi di pace, o dopo la fatica del tentativo, anche se non ho raccolto.

Il prete indossava una tunica bianca con una croce dorata e annunciava il Vangelo, e nella gente assiepata sulle panche e nelle buie navate laterali ho visto un popolo in cerca di spiegazioni, le mani giunte e le voci in coro per chiedere amicizie esclusive, protezioni personali che Dio non può o non vuole elargire. Ho infine scorto un posticino libero e mi ci sono accucciata con le mie fragilità, con le preghiere dei cristiani desideravo celebrare la mia Pasqua, omaggiare la resurrezione del bene che torna sempre, ma gli altri cantavano salmi che non conoscevo e mi distoglievano dall'intento, e allora ho capito di essere caduta in errore, ho capito che il mio ringraziamento lo dovevo portare alla piccola croce grezza sulla cima del Monte, e ho pensato che sarei tornata lì a sussurrare le mie lodi, avrei posato anch'io il mio sasso, piantato le mie promesse e ceduto al cielo la parte di me sopravvissuta e rinata.

Ho lottato per non allontanarmi e attendere la fine della cerimonia, per non sentirmi superba fra i superbi, e come questi credermi più di quello che sono, nulla di speciale o di eletto, solo ospite fra ospiti di qualcosa che non posso comprendere fino in fondo. Poi l'ho vista, seduta un po' più avanti sulla sinistra, gli occhi fissi all'altare, mi è bastata la metà del volto per riconoscerla, la ragazza che ho aiutato a partorire in casa della Guaritrice. Teneva la bambina stretta al petto con una fascia e si dondolava, i capelli chiari raccolti in una coda, addosso un giubbino rosa, leggero. Ho aspettato che si girasse, la controllavo con la fame che mettono gli innamorati negli sguardi, attendevo un cenno di riconoscimento, pretendevo forse un sorriso di gratitudine. Ma lei non si è voltata, non sembrava avere accanto familiari o amici, e mi sono detta che l'avrei avvicinata all'esterno, l'avrei aiutata a guarire le sue pene per pagare il debito con la vita, dalla quale ho più preso che dato.

Una mano mi ha toccato la spalla ossuta, mi sono voltata di scatto, seduta proprio dietro di me c'era la Rossa, che mi restituiva un volto sorridente e gentile, finalmente amico. Le ho preso la mano e l'ho tenuta per me, e quando sono tornata con lo sguardo alla ragazza madre, lei non c'era più. Mi sono precipitata fuori, nella piazza vuota un fringuello cadeva in picchiata a togliersi la sete nella pozzanghera ai piedi della fontanella. Avrei voluto trattenere la ragazza, fermarla e stringerla in un abbraccio, ricordarle sottovoce che l'inconfessabile tiene uniti per sempre, più delle promesse. E che io ci sarei stata, se avesse avuto bisogno.

La Rossa mi ha trovato sul sagrato e mi ha stretto nell'abbraccio che mi mancava, mi ha sussurrato sulla guancia una frase dal sapore caldo di vino. Mi sforzo ogni giorno di vivere per il presente e non per l'avvenire, faccio come la pianta che tende a fioritura e non si occupa d'altro, eppure nelle notti di montagna piene di stelle, rugiada e poesia, a volte avverto l'assenza di una parola dolce, il vuoto lasciato dall'uomo. Ho pregato la Rossa di ripetermelo, di dirmi un'altra cosa bella, e lei mi ha risposto senza pensarci mangia da me, e allora ho riso, perché non riuscivo a immaginare parole più piene d'amore di quelle. Le sono andata dietro guardandomi attorno, chiedendomi perché non ero più tornata dalla Guaritrice a informarmi, perché avevo voluto dimenticare, perché quando infine troviamo il coraggio di porgere la mano, spesso non c'è più nessuno a prenderla.

La mia amica mi ha offerto ancora una volta il favore della sua casa, ci siamo ritrovate di nuovo attorno alla tavola, non chiedevo pane ma compagnia, la condivisione che fonda la nostra amicizia, fatta di poche parole e piccoli gesti sofferti. Ho atteso il tempo fra un pasto e l'altro per accompagnarla in cucina e chiederle della ragazza madre, lei è tornata con le mani al forno, a cercare le pietanze e una risposta. Ho insistito domandandole se sapesse chi è il padre, lei infine si è girata e sulle labbra aveva il tremolio della bugia, mi ha detto che la ragazza non parla con nessuno. Poi è sfilata via e non mi ha cercato con lo sguardo per il resto del pranzo.

Il camino fumava nell'angolo, il pomeriggio scendeva lento nelle finestre, ho mangiato poco, mi era presa la voglia di tornare a casa, ho salutato i presenti e ringraziato, lei mi ha accompagnato alla porta, negli occhi la verità che non mi aveva voluto svelare. L'ho abbracciata senza sorriso, la luce del giorno mi avrebbe scortato ancora per poco lungo il sentiero, la Rossa mi ha trattenuto in casa per una mano, il vociare scomposto di un giorno di festa faceva da sottofondo all'imminente rivelazione. Per qualche secondo la distanza fra noi è stata riempita dai nostri respiri affaticati, poi lei mi ha confidato quello che non voleva, che in paese si vocifera che il padre di quella bambina venuta al mondo in una notte di bufera sia lo Straniero.

Maggio

Sono tornata al rifugio, o, meglio, sul versante dove si trovava il rifugio. Ho preso di nuovo la montagna a salire, col Cane al mio fianco che tracciava il sentiero. Per giorni ho pensato allo Straniero, sarei voluta correre dalla Guaritrice a chiedere se lei sapesse di quella bambina, mi sono ritrovata a combattere con la parte di me che non vuole farcela, sentivo di aver perso di nuovo qualcosa, qualcosa mi era stato sottratto, ancora. Ho pensato di scomparire, poi una mattina mi sono svegliata con uno sguardo nuovo, la notte mi aveva svelato la verità, che m'importa ancora di essere trovata, sentire di appartenere a qualcuno, anche solo al mio cane. Sul petto portavo il peso di un sacco di carbone, però mi sono alzata e sono corsa nel bosco senza guardarmi indietro, per liberarmi della paura del vivere che ogni tanto mi prende, della polvere che ammanta i pensieri, e alla fine del sentiero ho proseguito, ne ho tracciato uno nuovo con i miei passi decisi. Il Cane mi è venuto dietro ansimando, fedele e privo di domande, come solo gli animali sanno essere. Ascoltavo il mio respiro dilatarsi, sentivo il sudore del corpo asciugarsi col vento, addosso avevo la stanchezza di chi non si risparmia, ma ho proseguito. E sono così giunta al luogo dell'anima, e lì ho trovato infine ristoro, lì ho sostato a lungo, per recuperare il fiato perso mi sono accovacciata nell'erba, a guardare da

lontano il Cane aggirarsi fra i resti di quel che è stato, e mi è
venuta voglia di raggiungerlo, per consolarlo. Del rifugio ri-
maneva solo qualche legno, assi impantanate nel terreno fan-
goso di primavera, poche travi sparse fra l'erba e le piccole
residue chiazze di neve. Non c'era altro, hanno portato via
tutto.

Ho sentito improvvisa la sete e mi sono ricordata che
proseguendo lungo il percorso avrei raggiunto l'abbeveratoio. Il Cane mi ha visto allontanarmi e mi è venuto dietro
correndo per recuperare il terreno perduto, la fontana l'abbiamo trovata quasi subito, nel verde brillante di maggio sto-
navano poche pietre ammonticchiate e prese dal muschio.
Dal rubinetto scuro sgorgava un filo d'acqua come un nastro
d'argento, ho premuto le labbra al ferro per togliermi l'arsu-
ra dalla gola, ma l'acqua mi sfuggiva con un rivolo dalla bocca. Il Cane invece ha messo il muso nella vasca, prendeva
con la lingua e sembrava non bastargli mai. Mi sono asciuga-
ta con l'avambraccio, il gesto distratto dei bambini, nella
pancia d'improvviso avvertivo l'allegra pazzia che mi prende
con la Guaritrice, era la voglia di andare dallo Straniero, avevo un compito, ora che ero riuscita a tornare da lui.

Con i legni più piccoli ho costruito una croce, storta e tenuta insieme con uno stelo d'erba, ma a lui sarebbe piaciuta
così. L'ho piantata fra i resti, con due sassi alla base per soste-
nerla, simile a quella sul Monte. La terra sotto ai miei piedi
aveva mescolato morte e vita, come fa da sempre, e ora cedeva fiori, mi sono accucciata a raccoglierne alcuni con la cura
di mia madre quando voleva farmi passare il broncio. Seduta
su un masso ho ripreso a intrecciare il cesto che avevo nello
zaino, e mi è sembrato di sentire le sue mani che guidavano le
mie, che ormai corrono veloci e sanno come mettere insieme.

Per istinto non credo alle voci del paese, mi sembra inverosimile che lo Straniero abbia potuto tenersi dentro così
tanti segreti, ma non impossibile, era un uomo che viveva di

ritorni e scomparse. Davanti alla croce abbozzata ho sussurrato la mia personale preghiera, il Cane ascoltava ligio e il massiccio del Monte mi guardava imponente. La Guaritrice quella notte aveva voluto portarmi lì, io che nulla c'entravo, aveva voluto rendermi partecipe della nascita, farmi contribuire, e questo soprattutto mi spinge a credere all'incredibile. Ma poco importa, non conta la vita passata di un uomo che ho amato per un niente, non contano le sue bugie o le confessioni mancate. Io non gli ho rivelato i miei rimpianti, anch'io ho giocato a trattenere.

Il cielo sopra di noi era una benedizione, limpido e terso, il prato brulicava di farfalle, l'aria solleticava appena le guance, le margherite fiorivano bianche dappertutto, niente era fermo lassù, e la vita sembrava pesare nulla. Mi è stato impossibile non sorridere, impossibile mi è parso non fare una promessa al mio amico, la stessa che mi ero riproposta durante quella strana notte di pioggia, e cioè che avrei fatto del mio meglio per aiutare le piccole vite a uscire dal vuoto eterno, avrei piantato i suoi alberi e aiutato, se ce ne fosse stato bisogno, quella bambina senza padre.

Sono tornata a casa seguendo la linea del ruscello, ho portato con me un mazzo di margherite, e sul bordo della montagna mi sono messa in punta di piedi per ammirare la Valle che si colora di giorno in giorno.

E ho sentito di avere un cuore ancora giovane.

Sono giorni che scrivo a singhiozzo, vivo a singhiozzo, avanzo e mi ritraggo, cerco la compagnia e la rifuggo, mi allontano da casa, ma non per spingermi da amici, non sono andata dalla Guaritrice, non sono scesa in paese, mi perdo nella natura, per i campi che si scrollano il ghiaccio di dosso e restituiscono l'erba, prendo sentieri melmosi e abbandonati, annuso l'aria e il profumo del disgelo, sosto su dirupi e massi sospesi, bagno i piedi nel ruscello gelato e inseguo con un solo occhio lo scoiattolo che torna alla tana sul ramo, il leprotto che zampetta impavido, mi rallegro dei primi calabroni che mi ronzano attorno, della comparsa di un solitario scarabeo che procede lento scavalcando ciuffi d'erba senza chiedersi il perché, il canto di un pettirosso fa da sottofondo mentre cammino di nuovo sola sulla Terra e mi prendo la pace dei luoghi inesplorati. La primavera mi scopre papavero solitario in un prato, non so se muoio oppure nasco, però mi sembra che ogni mattina mi cresca un poco l'età, e che sia peccaminoso non sbocciare quando tutto sboccia attorno a te. Non voglio tornare a casa col rimorso di non aver guardato abbastanza, ecco. Raccolgo le faggiole, gli ultimi ramoscelli per il fuoco, torno con lo sguardo alla parte ferita del Monte, dove non c'è più il rifugio, seguo un profumo nato da poco, mi perdo.

Un pomeriggio il Cane ha preso il sentiero dello Straniero, non l'ho seguito e lui si è fermato ad aspettarmi, gli ho detto vai tu se vuoi, e gli ho dato le spalle, dopo un po' era al mio fianco. Scavalchiamo le ombre ancora piene d'inverno, la bella stagione che cerca un varco mi ricorda quanto è stato arduo l'ostacolo. Abbiamo trovato una radura libera dalla neve, andiamo lì la mattina, sfilo scarponi e calze e avanzo a piedi nudi nell'erba bagnata, qualche bocciolo attorno si schiude e sulle spalle mi cade un raggio di sole a benedirmi. Anche se non c'è sonno che spenga l'assenza dello Straniero, mi sembra possibile vivere ancora di questo.

Il cielo è nuovo, stelle silenziose germogliano ogni sera sopra di me e mi spingono ad alzare lo sguardo, mi danno pace e paure, mi perdo nei punti di buio fra gli astri, non riesco ad amare le cose spoglie, l'orizzonte senza ostacoli, nei vuoti vedo le mie mancanze, i miei punti oscuri. Ieri una stella è caduta senza rumore e ho pensato subito allo Straniero, a quel bacio nel freddo della notte, su al rifugio. Mi piace pensare che lui sia qui in giro a banchettare con le mille creature del bosco che non mi è dato vedere, e che la sua risata sia nascosta dal vociare del vento o dal gorgogliare del ruscello. Il Cane ogni tanto abbaia al silenzio, punta gli occhi nel vuoto e sta, per lunghi minuti, come sanno gli animali, senza altre distrazioni, e a me corre un brivido sulla nuca, ma non mi volto, e cerco di tenere in me l'aria buona finché posso. Ho bisogno di credere che lo Straniero sia il respiro che mi abita, che chi ho amato non abbia necessità di venirmi furtivo alle spalle, come un ladro, che possa prendermi con garbo, senza violarmi, avendo cura di non mettermi paura.

C'è una falena in casa, aggrappata alla tenda della cucina, immobile da ore, forse attende la notte per evadere. Ho provato a ritrarla sul mio quaderno, ne ho fatto uno schizzo a matita, rannicchiata accanto al calore del camino, sbriciolando con i miei piccoli morsi un pezzo di pane sul tappeto, nel naso l'odore buono del fumo del focolare, ma è venuto fuori un disegno sgraziato. Penso alla farfalla, che si posa sul fiore e agita piano le ali per prendersi il calore del sole che l'aiuterà a volare per il resto del giorno, fra boschi e sopra i ruscelli, in cerca dell'unico atto d'amore prima della scomparsa silenziosa in un ciuffo d'erba, dentro un campo fiorito che canta incessante. Nelle anime leggiadre e con poca vita davanti, che pure si battono per dare valore al loro piccolo tempo, così sciocche da essere ammirevoli, vedo tutta la miserabile incapacità dell'essere umano di cogliere l'effimero, la nostra pigrizia e inettitudine. Stolti come falene, attendiamo la notte e teniamo chiuse le ali, perdendoci tutto il cielo che c'è.

È venuta lei da me, il Cane ha avvertito la sua presenza e ha lanciato un abbaio nel silenzio del mattino. Io spaccavo l'ultima legna, quella buona per la sera, quando l'umidità scende a toccare le pareti. Ho ancora poca carne sulle ossa e a volte mi sento fragile, però il lavoro non mi ha piegata, anzi i muscoli sono germogliati e ora tengono compatta la pelle, e non mi pareva d'essere io mentre mi guardavo sudare con indosso solo una canotta. Ho braccia per lavorare sodo e gambe che procedono nel bosco senza indugi, e sono grata di questo alla natura, a me stessa, per non aver rinunciato. La fatica mi ha tolto i cattivi pensieri dalla testa, mi ha dato fiato e sonno nuovi, io sono nata per combattere, per prendermi ogni centimetro, e nella resistenza mi rigenero, mi sento davvero viva. Ho imparato ormai a portare il mio carico senza spezzarmi.

La ragazza è giunta fino a me, ho alzato la schiena e mi sono tolta lo sforzo dalla fronte con il dorso della mano, ho mollato l'accetta, la punta delle dita mi pulsava ancora. Ho visto il Cane annusare l'aria del suo passaggio, lei portava la neonata legata al ventre con una vistosa fascia. Dopo un po' ha trovato il modo per accennare un sorriso, le sono andata incontro e l'ho presa per mano, l'ho condotta dentro chiedendole se avesse sete. Ha annuito, le ho domandato della Guaritrice, ma non ha capito, si è seduta al tavolo e si è guardata intorno mentre le versavo l'acqua. Poi si è sbottonata la camicetta senza vergogna, con gesti semplici ha cacciato la mammella tonda e piena di latte, l'areola larga era una macchia lieve sulla pelle, la bimba ha trovato il capezzolo con due succhiate nel vuoto. Mi sono versata il caffè rimasto dalla mattina e ho preso posto di fronte a lei, non le ho tolto lo sguardo, non c'era estraneità fra noi, non ci conosciamo, ma abbiamo pianto e riso tenendoci per mano, i nostri corpi si sono scambiati segreti e amicizia prima di noi, l'intimità ci legava a distanza.

Aveva il viso pulito, il sole le riscaldava la schiena e i capelli che le ricadevano sciolti sulle spalle prendevano il colore del fieno. Era bellissima, gli occhi azzurri portavano dentro i bagliori dei ruscelli di montagna, il seno abbondante aveva curve morbide. Ho preso il diario dalla mensola del camino e ho tentato di disegnare la sua figura eterea, la calma dell'allattamento, la matita tratteggiava il chiaroscuro, i capelli inconsistenti erano ragnatele toccate dalla rugiada, lei non mi guardava, nemmeno se n'è accorta forse, aveva il volto chino sulla bimba, che tirava senza stancarsi. Soddisfacevano entrambe un bisogno fisico.

Incapaci di comunicare, siamo rimaste nel silenzio. Poi lei mi ha invitato a prendere in braccio la figlia, e mi è sembrato di non capire, o comunque di non poterlo fare, di non essere pronta, c'è così tanto da insegnare a un bambino, e io ho vissuto tutta la vita senza educare alcuno, il pensiero più doloroso. Dunque stavo per rifiutare, ma ho ricordato la promessa allo Straniero e allora ho preso la piccola e l'ho portata al petto, avevo nei gesti tutta l'attenzione possibile, e per il tempo che l'ho tenuta in braccio non è esistito altro. La ragazza si è sistemata il reggiseno e la camicetta, ha bevuto, ho capito che voleva dirmi qualcosa, ma non sapeva come. Si è ripresa la bimba quando mi ero abituata, doveva andare. Grazie, è riuscita a dire con accento francese. L'ho raggiunta sulla porta, e mi è tornato alla mente mio padre vecchio che mi infilava di soppiatto i soldi nelle tasche, io che fuggivo da quella che allora mi pareva carità e che invece era solo il gesto di nutrimento di un genitore che non ha più compiti da assolvere.

Il Cane l'ha scortata all'inizio del sentiero che scende in paese, la ragazza si è voltata a metà strada e ha sollevato la mano libera, in bocca aveva solo metà sorriso, poi è sparita, e ho capito che non l'avrei più rivista. Che forse non avrei mai saputo la verità. E che non mi interessava.

Il Cane è tornato sui suoi passi, l'ho atteso sull'uscio con gli occhi al bosco, l'ho grattato dietro le orecchie e siamo rientrati. Il disegno era sul tavolo, nella fretta nemmeno glielo avevo mostrato, ho strappato il foglio e l'ho sistemato sul camino. Una madre girata di profilo, i capelli liberi sulle spalle e una creatura attaccata al seno. Sul volto l'onore di essere donna.

Sono tornata al forno in un giorno di pioggia, la gente indossava i maglioni pesanti dell'inverno, la primavera in montagna non la prendi mai sul serio. La fornaia era nel retrobottega, in paese non c'è bisogno di essere al banco, basta un semplice richiamo. Sul volto smagrito aveva un debole sorriso, ha detto di trovarmi bene, col sole in faccia. Come lo Straniero, ho pensato, come chi fatica e chi non spreca la vita. Il locale profumava di frassino e larici, e prima ancora c'era l'odore primitivo del pane appena sfornato. Ho preso alcune pagnotte dalla crosta dorata, e anche delle focacce che congelerò, biscotti, taralli, olive, marmellate, le ho chiesto a chi potessi rivolgermi per acquistare dei semi di alberi, lei non ha fatto domande e mi ha mandata dal boscaiolo, sempre lui.

Ho attraversato la piazza, cadeva una pioggia monotona e piena di ricordi, le mie estati a metà finivano col cattivo tempo che arrivava sempre troppo presto. Un vecchio da una panchina mi ha guardato passare ed è tornato alle nubi che soffocavano le vette, accettava il cielo grigio senza collera negli occhi. Le grondaie gocciolavano battendo il solito vecchio ritmo sui basoli, una musica per pochi. Ho superato la locanda, aveva i vetri appannati e mi è sembrato di avvertire l'odore di cucinato, ho immaginato la Rossa con la mano al mestolo nella zuppa, la figlia che apparecchia i tavoli, fra le due l'amore e la rivalità di ogni giorno. Ho proseguito senza fermarmi, qualcosa in me è cambiato dopo Pasqua, non la giudico, non le imputo nulla, ma non voglio ascoltare altre voci. Ho raggiunto la baita del boscaiolo, appena fuori dal paese. Il Monte sopra di me era preso dalle nuvole, qualcuno ne sarebbe rimasto intimorito, non io. All'esterno della casupola c'era un carro con del legname, il fango conservava sul terreno la traccia del suo passaggio. Ho bussato e atteso, i ciuffi d'erba ai lati del sentiero si piegavano a ogni goccia e tornavano a posto subito dopo, ostinati a resistere. L'uomo non ride mai, però ho creduto di vederlo contento per un attimo. Gli ho spiegato che avevo intenzione di seminare un versante della montagna, lui ascoltava silenzioso, si è lisciato la barba da rabbino e mi ha portato all'interno, ha sentenziato che ci vuole l'abete rosso, il più resistente, e già lo sapevo, poi ha cambiato discorso, ha chiesto se mi servisse un po' di legna rimasta. Gli ho preso la mano per salutarlo, lui che il saluto lo accenna solo col capo.

La salita è stata dura, la nebbia era un ammasso denso sulla pelle, gli scarponi affondavano nel pantano, la pioggia mi riempiva gli occhi e scivolava sul viso, così ho deciso di non oppormi, di non fare resistenza. Non potevo accelerare il passo, ho sperato che il Cane non fosse uscito in esplorazione, che non si fosse allontanato troppo da casa. Ho sostato a metà del percorso, sotto un grosso larice la pioggia aveva cessato di esistere, e una piccola lumaca tentennava per superare un ciottolo muschiato, l'acqua l'aiutava ad avanzare per chissà dove, tirava su le lunghe antenne per orientarsi e procedeva anonima e senza pene, rigando il sottobosco. Ho preso fiato ripensando alle uscite nella selva con papà, in autunno seduti su un vecchio ramo ci spulciavamo le tasche a vicenda in cerca delle bacche di corniolo, di ginepro, di sorbo raccolte, e ridevamo. Scendevamo a valle a prendere le castagne, e la sera, davanti al crepitare del camino, mamma legge-

157

va accucciata nella poltrona, lui si sporcava la barba di vino rosso e mi chiedeva di sbucciargliene una. E parlava della sua infanzia, dei nonni, che le castagne gliele infilavano nelle tasche per difenderlo dall'inverno. Sulle dita a fine serata mi restava la fuliggine che non andava via, e negli occhi la figura di una bambina immaginaria che danzava nell'angolo buio della stanza, la sorella che bramavo senza chiederla.

Ho portato d'istinto le mani al viso prima di tornare a salire, volevo quel nero sui polpastrelli, ma la pioggia le attraversava scivolando veloce, e cancellava ogni cosa.

La Guaritrice mi ha tolto all'alba dal sonno, ha bussato alla porta e il Cane ha abbaiato facendomi sussultare nel letto. Il bosco aveva il colore che prendono le cose tra il finire della notte e l'inizio del giorno, indaco e cobalto tingevano l'aria. La vecchia stava davanti a me curva, il solito guizzo l'attraversava, mi è entrata in casa e ha aperto le finestre, mi ha preso la mano e l'ha lisciata, se l'è portata alla guancia, sorrideva. Le ho domandato cosa fosse successo, lei ha accostato l'indice alle labbra, mi chiedeva silenzio, poi mi ha trascinato all'esterno, ha teso l'orecchio alla foresta e mi ha richiamato all'ascolto. Il Cane ci guardava senza capire, col capo inclinato cercava da me risposte. Da lontano giungevano strani gorgoglii e misteriosi sbuffi, come se nel bosco si fosse radunato il popolo intero degli gnomi. La Guaritrice mi ha chiesto a gesti di chiudere il Cane in casa e mi ha spinto fra gli alberi, camminava come il segugio, la schiena arcuata, seguiva gli odori più che i rumori, si faceva largo a piccoli passi, muovendo le foglie attorno a noi impercettibilmente. Era il bosco che ci lasciava passare. Sono rimasta nella sua scia, abbiamo frenato il passo al limitare di una radura per acquattarci dietro un larice. Ho portato la mano alla sua spalla, aveva indosso il solito maglione di lana consunto, le maniche tirate su all'avambraccio, le guance riflettevano un rosso vermiglio e le mani le odoravano di tiglio e mirtilli. Chissà quali pozioni aveva preparato nella notte, lei depositaria di antiche conoscenze, figlia della foresta, che abita la Terra con gentilezza.

Il cielo era sconfinato nel bianco e filtrava scomposto fra il fogliame, ai piedi delle conifere ancora chiazze di neve, nei prati invece i fiori si preparavano a schiudersi, spuntava coriacea la cicoria selvatica. A pochi metri da noi, la danza gioiosa dei fagiani di monte, con il loro piumaggio dai colori metallici e bluastri che rifletteva la luce del giorno appena iniziato. La coda a forma di lira e due caruncole rosse sugli occhi, aprivano le penne bianche e brune ed emettevano versi aciduli che rimbalzavano fra gli alberi per raggiungere posti lontani. La famosa parata, la stagione degli amori, in questo periodo dell'anno i maschi si ritrovano a danzare per conquistare le femmine, fin dall'alba e per tutto il giorno, in un gioco di corteggiamento lento, inesorabile, paziente, penetrante, si muovono emettendo sbuffi e borboglii, abbassano le ali e le fanno vibrare, gonfiano le caruncole, aprono la coda a ventaglio e si azzuffano con grandi balzi. Le femmine restano appartate sugli alberi, giudicano il canto più melodioso, il danzatore più capace, rispettano i tempi, ma io credo che in fondo abbiano già scelto, seguono leggi imperscrutabili. Me ne parlava mia madre, quando nelle notti di primavera giungevano dalla montagna sopra di noi gli stessi versi, mi carezzava i capelli e mi raccontava dei fagiani in cerca d'amore, io non capivo, ma lei non perdeva tempo con altre parole.

Ero con l'unica persona che sa parlare alle ombre e tendere l'orecchio ai fruscii, eppure ho pensato ancora allo Straniero, che avrebbe amato la parata, e forse mi ci avrebbe condotto lui, chissà. Ho pensato alla sua capacità di sedurre, a quanto attirare la femmina sia tutto per le specie animali, a come la rivalità non sempre sia ostilità, a quanto l'evoluzione abbia reso magnifica la vita sulla Terra proprio grazie alla seduzione, a come abbia dato i colori più belli ai pappagalli e ai pavoni solo per permettere loro di conquistare.

La seduzione quasi mai ti lascia scelte, ti prende e basta, una specie di manipolazione che non conosce difesa.

E però la vita senza è niente.

Giugno

Scrivo meno, il caldo mi trascina fuori dal guscio e mi ritrovo per gran parte del giorno a girare per boschi e sentieri, il Cane da compagno e poche cose nello zaino. Mi riposo sui pendii, lungo il corso irregolare dei ruscelli che bisbigliano, i piedi che pulsano di stanchezza sulla riva sassosa. Cerco il refrigerio dell'acqua gelata, bagno il viso e i capelli, che mi coprono ormai metà schiena e hanno preso il colore del ghiaccio sporco. La sera allo specchio osservo per lunghi minuti la mia esile sagoma, vedo due occhi scuri affondare nelle orbite, poca pelle ruvida macchiata di sole ed età che tiene insieme un volto ancora delicato, al quale porto il massimo rispetto. Mi riscopro a volte anche bella nei miei tormenti, e sento di non stare invecchiando invano, perché vedo il bene ovunque.

I rifugi in quota riaprono, fra gli alberi e nella Valle appaiono i fili di fumo dei comignoli, gli animali arretrano nelle profondità del bosco e arrivano già gli escursionisti, i primi turisti, e poi incontro pastori e boscaioli, e tutti mi guardano come io guardavo la Guaritrice, vedono in me la povertà della solitudine, non la sua libertà. Nell'attraversamento volgo lo sguardo dentro di me, ed essere accompagnati sarebbe intollerabile. Non voglio essere sola, voglio saper stare da sola, le poche persone davvero felici che la vita mi ha messo davanti ne erano capaci.

Ho passato gli ultimi giorni a ripristinare una vecchia mulattiera che attraversa il bosco e sconfina nella valle adiacente, la percorrevo con papà alla fine della primavera, ci portava in un campo spruzzato di piccoli fiori gialli di arnica, stretto fra due massicci che all'imbrunire prendevano il colore del pesco in fiore. Ero in cerca di mirtilli, la sera preparo marmellate da portare a chi mi vuol bene, alla Guaritrice, alla Rossa, forse alla fornaia, un domani alla Benefattrice, e mi è venuto da chiedermi se non siano troppo poche le persone importanti di questo mio pezzetto di vita, se dopo tanto tempo non mi manchino invece le persone di giù, della città. Nemmeno so più se qualcuna di loro mi cerca.

La foresta sa essere generosa e prepotente, occupa tutti gli spazi, e la traccia del sentiero era appena visibile, però su uno spuntone di roccia c'era ancora dipinto un segnale orizzontale bianco e rosso, nell'angolo in alto un numero sbiadito. Li si usa per indicare la continuità della via e si collocano nelle vicinanze dei bivi, oppure ogni due, trecento metri.

Ho preso a seguirlo, le erbacce ostacolavano il passaggio, ho impugnato un legno per farmi largo, spostavo gli arbusti con grande difficoltà, avevo perso la grazia dei movimenti, mi sembrava di ferire il bosco a ogni passo. Poi ho scorto un ometto di pietre di una quarantina di centimetri, una semplice piramide di sassi che resiste alle intemperie da chissà quanto mi diceva che ero sulla giusta via. Dopo un paio d'ore è iniziata la discesa, gli occhi hanno trovato spazio, scorgevo tra le fronde spicchi di cielo e in lontananza una spersa radura, un oceano di verde alla fine degli alberi.

Sono infine sbucata nel campo, che ricordavo più grande, all'inizio c'è ancora il picchetto segnavia, un paletto di legno senza più colore conficcato nel terreno. L'erba mi strofinava le ginocchia, il Cane saltava gli ostacoli con balzi d'entusiasmo, i fiori d'arnica erano solo uno sparuto gruppo al centro della radura, davano l'idea di essersi ammassati per non disperdere il calore, come le api nelle arnie. In fondo alla Valle un altro torrente scintillava lontano serpeggiando nel terreno, mi sono seduta nell'erba e ho bevuto dalla borraccia, l'acqua mi scorreva sul mento, riempiva la gola arsa e lo stomaco vuoto, mi dava respiro. Ho chiuso gli occhi e annusato l'aria, bramavo l'atto d'amore in quel mare verde senza onde, col vento debole che a stento asciugava il sudore da dosso.

Mio padre si perdeva a guardare il campo con gli occhi socchiusi e le mani ai fianchi, e il suo viso assumeva l'aria della festa, gli leggevo dentro l'appagamento. Poi si sdraiava con un filo d'erba tra le labbra, le mani sotto la testa, e forse pensava alla sua gioventù mentre io correvo sul prato e lo vedevo vecchio uguale agli altri vecchi. La sua era la felicità semplice, e portandomi con sé, ora capisco, desiderava mostrarmela, fare che un giorno fosse anche mia.

Il Cane mi ha leccato la faccia e tolto dal sogno, accanto nessuna voce, se non il lamento del vento che spingeva gli alberi alle mie spalle. L'estate sembrava finire dove finiva l'erba, nella foresta umida ho accelerato il passo per fare ritorno a casa, stordita di ricordi e stanchezza. Avevo già deciso che avrei recuperato la mulattiera, liberato il sentiero, aggiustato la segnaletica, ne avrei aggiunta di nuova, avrei riverniciato.

Quello che chiamiamo vagare senza meta in verità non è mai davvero tale, qualcosa alla fine del percorso sbuca sempre.

Due libellule ballano a mezz'aria nella pioggia, chiedono il mio sguardo, si esibiscono in una danza leggera che porta allegria. Le nuvole cariche d'acqua si sono prese di nuovo la montagna e non ci lasciano, ma è pioggia che non fa male, si sente poco sulla pelle e fa salire gli odori della terra, il bosco sembra respirarmi addosso. Scrivo sotto il pergolato, mi porto spesso la matita alla bocca, sulla lingua ho il sapore del legno masticato, fra le parole tento uno schizzo, il profilo del Monte, il larice che punta il nord, le libellule turchesi che si avvicinano e si allontanano ronzando. La loro danza è un brillio, saettano con scie bagnate nell'aria, simili a piccoli arcobaleni, e poi tornano a sostare a mezza quota, senza che il vento possa spostarle. Mai come oggi le sento cugine, mi offrono la loro vulnerabilità, ali di carta velina mi muovono, io fatta di cristallo eppure fortissima, io che nel cuore porto una croce, ma non ho dimenticato come si ride. Come me, si ritrovano fiduciose nella parte ultima della vita, e non ci credono fino in fondo.

Dalla casa arriva l'odore di cucinato, il forno ancora caldo conserva un dolce alle more, il Cane riposa nel prato, cerca la pioggia, strofina il muso sul terreno, sonnecchia, chissà se ricorda lo Straniero. Una rondine giunge dal bosco in picchiata, porta qualcosa nel becco, ha costruito il suo nido sotto il pergolato e ora va e viene davanti ai miei occhi, si unisce alle altre e riempie il cielo di garriti al tramonto. Il Gufo invece dorme di giorno e tace nell'ombra della notte, lancia qualche timido uh-uh, poi parte alla ricerca, solca il buio con i suoi artigli, lo sento allontanarsi nel bosco con il battito delle pesanti ali.

Ieri è stato giorno di inarpa, di transumanza, i pastori hanno trasferito sui pascoli montani le loro greggi, il percorso inverso di quello fatto in autunno, al mio arrivo. Hanno attraversato la Valle mucche, vitellini, capre, pecore, asini, una lenta carovana che ha bucato la foresta e si è inoltrata lungo il solito sentiero. Ha lasciato dietro di sé la rovina che lascia la mandria di bufale sul tappeto di steppa, erba schiacciata, fiori recisi, terreno smosso, feci, l'odore acre della stalla restava nell'aria e soppiantava il delicato profumo del bosco. Era domenica, ed è stata una festa per il paese, la gente ha seguito le greggi fin quassù, ci siamo incontrati su un prato abbondante fra due monti, nel primo pomeriggio, i bambini e gli adulti a far merenda. Ho stretto mani e dato saluti da lontano, la Rossa mi ha sorriso per prima, e tanto mi è bastato. L'aria era giocosa, piena del ronzio delle api e dei calabroni, delle grida dei bambini e dei versi degli animali, le farfalle blu erano dappertutto e ci passavano sulla testa senza esser viste. Mi sono sdraiata su un telo, ai piedi di un eccentrico fiore rosso, per il resto era tutto spruzzato di margherite, ranuncoli, campanule, garofani di montagna, sorridevo e guardavo le nuvole prendere forme diverse, il percorso curioso di una formica mi solleticava il polpaccio, spiavo da lontano le corse dei figli degli altri come un tempo faceva mia madre con le mie, mi prendevo la compagnia di cui avevo bisogno e il Cane stava buono al mio fianco.

A metà del pomeriggio c'è stata la mungitura delle vacche, poi i pastori hanno abbeverato i capretti e hanno preso la via degli alpeggi. Pian piano la radura si è svuotata, gli insetti hanno lasciato la giornata, il massiccio del Monte ha inghiottito il sole residuo, con la Rossa ci siamo strette in un abbraccio da sorelle, mi ha fatto promettere che tornerò da lei.

La sera a casa avevo fili d'erba tra i capelli e il profumo del prato sulla pelle.

L'odore buono delle giornate che restano.

Sull'ombra che un grande larice cede al terreno, la vita è esplosione, dalle cime dei monti scende l'aria azzurra che sposta l'erba e disperde i profumi. Ho con me il diario, tento di fermare sulla carta le sensazioni di questi giorni, disegno i fiori che mi attraversano il cammino. Ieri su un prato ho visto due ragazzini baciarsi, avevo lo sguardo alla vetta, sono passata loro accanto e mi hanno salutato con gentilezza, ho ricambiato timidamente. Lei aveva capelli biondi raccolti in una coda e labbra rosse di passione, negli occhi l'incertezza di chi ancora deve vivere. Lui non ho avuto il tempo di guardarlo, ho proseguito per qualche passo e mi sono sdraiata col Cane al mio fianco, ho aperto un libro. I due erano lontani, ma non abbastanza, e non ho potuto non osservarli da sopra la pagina, ridevano mentre si baciavano, dimentichi di me e dell'estate, fingevano di azzuffarsi e tornavano a baciarsi, rubavano la meraviglia al prato in fiore, e non sono riuscita a distogliere lo sguardo, c'era in loro tutta la ribellione al mondo che porta la gioventù. Ho pensato allo Straniero, all'amore non consumato fino in fondo, l'unica e più pura forma d'amore. Avrei meritato una rivoluzione anch'io, un affetto pieno nella vita, e mi è presa l'irrefrenabile voglia di innamorarmi un'ultima volta, rendermi ancora debole di fronte a un estraneo. L'amore contagia, inizio a sentire il bisogno di qualcuno che mi cerchi, la bella stagione ha avviato una nuova adolescenza in me, e ora mi sembra impossibile la paura di amare che a volte mi prende, che prende taluni. C'è ben poca vita al di fuori dell'innamoramento.

Voglio essere qui e seminare quegli alberi, ma da qualche giorno mi riscopro a immaginare il ritorno, la discesa. Mi piacerebbe riuscire a portare con me la pace che viene dal silenzio, conservare questo sguardo senza confini, sentirmi ancora ogni tanto onnipotente, come succede sulla cima della montagna, com'è per i ragazzini. Ma tornare. Cercare l'amore dell'uomo, dopo aver trovato quello del bosco. Pronta a esplorare ancora il mondo, a ravvivare la brace che mi brucia dentro, per non restare chiusa nel bocciolo e appassire, per realizzare ciò che non ho realizzato allora.

Sarà la più delicata delle transizioni, ricorderò un domani questo tempo come uno dei più pieni della mia esistenza, ma non potrò non tener conto della sofferenza immeritata che ho trovato.

Sul diario ho impresso il guizzo di quei due corpi uniti in un campo di fiori.

Per non dimenticare l'ultima rivoluzione ancora da fare.

In questi mesi ho conosciuto perlopiù donne e non una ho sentito nemica. Sarà la mia disposizione d'animo, la gentilezza chiama gentilezza. E sono fiera di esserlo rimasta, gentile, contenta di essere venuta quassù a recuperare quel modo di stare al mondo, forse l'unico possibile. Tutti quelli che negli anni mi hanno fatto sentire sbagliata e mi hanno tolto il sorriso hanno fallito, la mia meravigliosa condanna è pensare che il bello debba ancora venire. Qualcuno mi darà della stupida, o dell'ingenua, ma tant'è, esco nei campi la mattina e mi dedico a fiorire, nonostante tutto, studio l'erba, scruto il Monte, chiedo alla lucertola e alla farfalla sulla serenità. E non ho altro per la testa, non mi faccio prendere dal dopo, sto nel presente, finalmente, il balenio che arriva e passa non mi deve trovare impreparata.

Sono scesa in paese, cercavo la Rossa, l'ho trovata che puliva i vetri e le ho sorriso da lontano, lei ha mollato il panno e mi è venuta incontro con un accenno di impazienza nella camminata, e c'è presa la voglia di abbracciarci, noi che siamo in bilico sulla vita. A volte il suo sguardo dà pace, altre mi arroventa gli occhi. Sentivo la sua mancanza, e quando ci siamo viste era come se il tempo non fosse passato. Siamo amiche come lo si può essere alla nostra età, alle spalle abbiamo esistenze diverse, ma ci uniscono quelle non portate a termine, abbiamo vissuto per sottrazione e ora contiamo quel che avrebbe potuto essere.

Le basta un'occhiata per sapere delle mie cadute, ma non chiede quasi mai, offre il sostegno del cibo, il conforto del focolare, l'esempio dei suoi gesti sicuri, il suo coraggio nello stare al mondo, non ha bisogno di parlarmi. Mi ha dato del vino da una bottiglia aperta, la locanda sapeva di candeggina, le ho chiesto di venire con me con un gomito al bancone e la mano a sostenere la guancia, saremmo andate al bosco delle fate. Lei ha sorriso e ha distolto lo sguardo, aveva da mandare avanti la locanda, le ho risposto che c'era sua figlia, e poi erano solo due ore. Io e lei nei boschi, come ragazzine in giro per la città che ridono senza vergogna per togliersi di dosso i primi accenni d'amore, e perdono tempo, e si fermano agli angoli dei palazzi per sostenersi a vicenda, a volte ingoiano le parole pur di non ferire, e si scambiano occhiate e buoni propositi, e un po' della sigaretta nascosta fra le dita ancora bambine.

L'ho attesa nella piazza, è uscita col passo incerto di chi non è abituato a prendersi del tempo libero. Conoscevamo la strada e non abbiamo parlato lungo il percorso, c'era la Valle della tinta dell'orzo e della segale a catturare l'attenzione, il Cane ci faceva da guida e gli insetti lasciavano gli ultimi voli felici sulla giornata. Siamo state nel tempo senza preoccupazioni, parole e progetti, come gli adolescenti, che hanno riguardo solo per le due ore successive e poi chissà.

Il boschetto a valle ci ha accolto col buio della prima sera, le vette erano sagome imponenti e scure che ci alitavano addosso. La selva era fitta di faggi e olmi, siamo entrate fra gli alberi col passo lieve per non disturbare l'accoppiamento, intorno a noi milioni di lucciole nuotavano come girini nell'aria, i maschi si esibivano per le femmine nascoste sul terreno o fra le piante, per conquistarle e riprodursi. Li spinge la paura più grande, di passare inutilmente sulla Terra.

La Rossa mi ha confidato che non veniva qui da vent'anni, e aveva una lucciola fra i capelli mentre parlava. Io ci entravo da bambina, con mia madre che mi raccontava la storia delle fate che appartengono al mondo della notte e cacciano gli orchi dalla foresta con il loro battere d'ali. Mi invitava a mettermi in attesa nel bosco, a percepire ogni fruscio, che una fata era in arrivo e avrebbe danzato davanti a noi, lasciando nell'aria polvere di stelle. Così ho appreso il valore dell'attesa, ho capito che il bello si cela nelle cose lente, dentro quell'intervallo la mia mente metteva ogni cosa e si caricava d'entusiasmo. Ho imparato allora ad aspettare l'attimo successivo, l'imminente che senti nell'aria, e a non marcire invece per un qualcosa che forse un giorno arriverà.

Ci siamo sedute su un tronco spezzato, nel silenzio salivano gli odori umidi della terra, il muschio rendeva tutto scivoloso, dava il senso dell'approssimazione, il buio nascondeva la mia malinconia, con la Rossa parlavamo sottovoce. E mi è presa la voglia di essere lucciola, che ha appena il tempo di riprodursi e poi scompare, e in quel breve tempo non ha domande da porre, nonostante la morte a un passo cerca l'amore.

Siamo tornate con le torce nel buio intricato della foresta, tenendoci per mano, il sentiero era ricamato di fogliame e rami spezzati e scricchiolava sotto i nostri piedi, il Cane ha tenuto fede alla promessa e non ha abbaiato, scortandoci fino al paese. La Rossa mi ha chiesto di dormire alla locanda, non ho potuto dire di no, e nello stanzone che odorava di polenta abbiamo raccontato ai pochi uomini presenti la nostra breve uscita, la leggenda delle fate del bosco. Nessuno di loro ci ha preso sul serio, nessuno crede che le donne possano davvero nascondere ali di fata. E decidere così un giorno di volare via.

Un gallo lontano mi ha raccolto dal sonno titubante, mi sono preparata in un albeggiare senza fine, nel tempo sospeso ho riempito lo zaino delle cose essenziali, ripiegato con cura la tenda che la sera avevo piantato sull'erba di fronte a casa, per controllare se ancora fosse integra, la vecchia tenda indiana di papà con la quale andavamo al lago d'estate, per due giorni di pesca. Io e lui soltanto, la più incredibile delle avventure per una ragazzina. Ho portato scatolame, la torcia, una lanterna, la borraccia, un coltellino svizzero, un libro, poco altro.

Il bosco attendeva silente la comparsa del giorno e l'aria era piena di dubbi. Ho inspirato a lungo, i piedi nudi sull'erba ricoperta di brina e gli occhi chiusi, il Cane sonnecchiava più in là, attendevo che il primo sole mi si poggiasse flebile sulla pelle e mi togliesse la notte di dosso, aspettavo il momento giusto per partire, pronta per lo scopo che mi attendeva. A valle i contadini occupavano già i campi, la cima del Monte era un punto lontano preso dalle nuvole di condensa, avrei sostato presso la stalla a metà strada e poi raggiunto la zona del rifugio, avrei piantato la tenda e iniziato a risalire il versante lentamente, interrando i semi uno a uno. Ho calcolato un impegno di tre giorni per seminare l'intera parete, quella che si è presa lo Straniero.

Al nostro passaggio gli uccelli si alzavano in volo e i rami ondeggiavano nella quiete ombrosa che ricopriva gran parte del sentiero, nell'aria stava sospeso un filo di nebbia che mi regalava un respiro fresco. Mettevo un piede dietro l'altro, mi muovevo lenta nel denso pallore, il peso sulle spalle affaticava ma mi spingeva l'euforia del primo incontro, era come ritrovarsi con lo Straniero, mi stavo presentando a lui con un dono, portavo a termine il suo compito, e questo mi faceva forte, dava un senso alle cose, mi permetteva di proseguire. Sotto il faggeto ho visto diverse orchidee selvatiche, e le scarpette di Venere, e al margine della foresta ho trovato la digitale purpurea, dagli steli alti quasi due metri, che mi ha sedotto con i suoi grandi fiori. Mio padre mi ammoniva a non toccarla, per la sua tossicità, ma mi raccontava delle sue proprietà, del fatto che in passato aveva salvato tante vite. Le ho fatto un dolce inchino prima di proseguire speranzosa verso l'altopiano.

Chiunque può arrendersi, utilizzare l'esistenza per uno scopo aiuta invece a patteggiare con la consapevolezza della propria insignificanza nel tutto. Sono stata mossa da impulsi nella vita, ora sento di dover spendere questo mio tempo per creare qualcosa che duri più della vita stessa.

Nella tenda scrivo al chiaro della lampada, il canto dei grilli che si chiamano nel mezzo della notte è una sinfonia dolce che accompagna il sonno, il Cane mi respira addosso. Il Monte mi guarda dall'alto e mi vede forse imbelle, chiusa dentro una piccola luce fissa sul prato scuro potrei apparirgli anche come una sognatrice caparbia, una piccola testarda ape operaia. La tenda ha dentro l'odore delle cose vecchie, ma fa niente, le stelle mi sono addosso e mi schiacciano di bellezza, e mi ritrovo ad aprire la cerniera per spostare lo sguardo su di loro, convinta che questa notte non andrà più via. Al cielo scuro sussurro le mie voglie e a tratti mi sembra di poter credere in un Dio, anche se non mi perdo in domande, tengo lontani i ricordi e cerco di godere di quel che ho, per quel che sto facendo. Da lontano arriva l'ululato del lupo, una falena picchia ostinata sul tessuto per quel po' di luce che manda la lanterna, per il resto sono sola, sempre di più, gli esseri che vivono la notte sono silenti, forse mi studiano. Ma non ho timori, sto in questi giorni con la calma dell'ulivo nel giardino d'estate.

Ho piazzato la tenda a metà della radura, prima che la parete si inerpichi, duecento metri più giù rispetto a dov'era il rifugio. Se ci fosse lo Straniero con me, questa notte sarebbe da amarsi fino a farsi mancare le parole, per ritrovarsi muti nei corpi sudati e sfatti da regalare alle stelle.

Il lavoro è lungo e il terreno da ricoprire tanto, avevo sbagliato i conti. Sono al terzo giorno, domani tornerò a casa perché ho finito le provviste. Sono riuscita a seminare quasi per intero il versante, affondavo le dita nel terreno per un paio di centimetri e imbucavo il seme, ricoprivo e procedevo oltre, contavo circa nove passi e ripetevo l'operazione, come da bambina, quando papà mi prendeva l'indice e lo spingeva nella terra appena umida, mi mostrava i gesti giusti da dedicare all'orto.

Con un po' di fortuna, la prossima primavera si potrà iniziare a vedere il risultato, dovrò tornare quassù per controllare, dico al Cane, carezzandogli la testa e togliendolo al sonno. Anche lui è stremato, occupa il giorno cercando tracce, vive forse di ricordi, questo è il suo posto e conosce ogni angolo, ogni albero, va e viene, svelto, a volte mi guarda da lontano con la lingua a prendere aria, poi entra di nuovo nel bosco.

Metto alberi sulla montagna, la fatica è un macigno alla base della schiena, a sera le gambe mi tremano e sotto le unghie porto il terreno tolto al prato per creare il solco da riempire, ma le giornate sono fatte di sole e aria buona, ho l'odore del polline sulla pelle, non posso chiedere di più. Mi sposto con cautela sul pendio, attenta a non calpestare il mantello di fiori che ondeggia carezzato dalla brezza di valle, mi tiene compagnia la gioiosità delle api indaffarate, la noncuranza delle farfalle e il volo sgraziato dei calabroni, che mi riempiono le orecchie di ronzii. A ogni passo un grillo zampetta nel prato più in là e mi dà le spalle, indispettito. A ogni passo mi innamoro un po' di più di questo luogo ferito, del mio tentativo di curarlo.

Riposo ogni tre file seminate, circa ogni cento metri mi fermo a sorseggiare l'acqua fresca che la mattina raccolgo alla fontanella, recupero il respiro, mi stendo a giocare col cielo e mi perdo nelle nuvole più belle, mi sembra siano a un passo, piccole, tonde, buffe, bianchissime, sfilano lente prendendo la forma che dice loro il vento, fino a raggiungere terre aspre, mari lontani.

Luglio

Un ciuffetto di stelle alpine cresce in cima al versante, al riparo di una roccia, dove nessuno lo vede, una fitta peluria lattiginosa a protezione, è una macchia di neve che il sole non scioglie. Delicate e coraggiose, abitano il prato come la foglia sull'acqua, appena poggiate. Cercano la solitudine, come l'orso, o la vipera, e non hanno ripensamenti, non vacillano come l'uomo dinanzi alla notte buia, fedeli a sé stesse, al solo modo che conoscono di stare al mondo, mi appaiono pilastri. Ma non sono le uniche, il prato fiorisce ogni giorno un po', e lo fa con riserbo, mi accoglie e seduce col suo odore e mi lascia fare quel che devo, si muove al ritmo del vento e sembra respiri con me. A ogni sosta poso lo sguardo sui fiori, tenuti in piedi da un gambo sottile hanno vita così breve, eppure non si fanno distrarre, non cercano compassione, desiderano solo portare bellezza, spargere il seme e il profumo nell'aria, e aspettano pazienti la brezza che li aiuti. Spiegano al mondo l'irresistibile poesia dell'inutile. Se ognuno di noi avesse il garbo del fiore, che regale sta a lasciarsi fecondare, se ci limitassimo a cospargere di bellezza il nostro pezzetto di mondo, se lasciassimo al vento la decisione delle cose e ci limitassimo a fiorire nella vita.

Stamattina un gregge di pecore scendeva dall'alpeggio, andava a pascolare su un largo spiazzo d'erba dall'altra parte della montagna, il pastore che lo accompagnava ha trovato l'aiuto di un masso per riposarsi, il cane faceva il lavoro per lui, che mi guardava da lontano. Ho sollevato la mano in segno di saluto, lui ha risposto dopo un po', titubante. Ho proseguito instancabile, avevo da ultimare il mio compito, nove passi e un solco, avanti e indietro per il pendio scosceso, con i piedi piantati nel terreno friabile, il sole mi prendeva per metà. Il pastore a fine mattinata si è sfilato il cappello di paglia per togliersi il sudore dalla fronte, ma non ha smesso di guardarmi. Dal piano alpino sopra di me giungeva il fischio di una marmotta, forse mi percepiva come pericolo e avvisava perciò i suoi simili. Attorno, un viavai di api nere dal corpo peloso che ballavano di fiore in fiore, vibrando sul trifoglio, sull'erica, sul tarassaco o sul rododendro. Una carlina bianca si nascondeva nell'erba, tanto era corto lo stelo. Durante la semina dell'ultima fascia di terra ho riconosciuto una genziana maggiore, alta più di un metro svettava fiera a mostrare i suoi fiori gialli al cielo azzurro.

Mi sono seduta e ho preso la borraccia, la gola era secca di terreno, poi ho dato un morso a una fetta di pane nero che avevo spalmato con del burro di fiori, il primo burro degli alpeggi, chiamato così perché profuma dei fiori di giugno che hanno alimentato le mucche. Ho sfilato il diario che porto sempre nello zaino e ho ritratto la pianta in tutta la sua bellezza, con la punta sottile della china, senza calcare la mano, la volevo esile e solitaria come mi appariva nel prato, simbolo di resilienza, lei che fiorisce per la prima volta dopo dieci anni di vita. Mi sono chinata ad accarezzarla e l'ho sentita così vicina, io che di nove passi in nove passi ho scalato un pezzo di montagna, e l'ho seminato di abeti, io che guardavo dall'alto il frutto della mia fatica e percepivo l'orgoglio di quella pianta tenace che con perseveranza aveva vinto gli inverni, la neve e le tormente solo per arrivare a questo giorno. E quanto le è costato mostrare fiera al sole i suoi quattro fiori gialli ridenti di luce mi ridà il senso della parola prezioso.

Alla fine della giornata sono ridiscesa senza voltarmi, qualche arbusto mi scorticava le ginocchia nude, ma sono riuscita ad arrestare il passo e dopo venti minuti ero alla tenda. Il pastore e il suo gregge erano tornati all'alpeggio, mi sono spogliata della maglietta bagnata mostrando al massiccio il seno piatto e i capezzoli turgidi, mi solcavano l'addome piccole gocce di sudore inarrestabili. Il Cane mi ha raggiunto con una corsa, nel pelo aveva l'odore marcio del sottobosco. Ho tolto la tenda e radunato le mie cose, e solo allora quei gesti mi sono sembrati un addio, ancora un altro nella mia vita. Salutavo il prato rigoglioso che mi aveva fatto da casa per tre giorni, il pezzo di montagna che mi aveva restituito un poco d'amore e poi mi aveva tolto una possibilità, e che però non avevo mai sentito nemico. Ho rimesso lo zaino in spalla e fatto cenno al Cane di seguirmi, lui mi è venuto dietro con un rametto fra i denti, ricordo di pomeriggi inattesi.

Il sole se l'era preso lo spuntone del Monte, abbiamo camminato nell'ombra e sono entrata nel bosco senza voltarmi per un ultimo saluto, non ho trovato il coraggio. Mi piace pensare che il prato abbia smesso per un istante di ronzare, per dedicarmi una preghiera.

La Volpe mi ha sorpreso nella penombra di una sera senza tramonto, il cielo era delle nuvole che passavano lente e a bassa quota per andare a morire lontano. Da quando c'è il Cane, la Volpe viene molto di rado, anche stavolta ha atteso sul limitare del bosco, per accertarsi che lui non ci fosse, quindi mi ha raggiunto con brevi falcate, le zampe corte sul terreno, il muso schiacciato, movenze da predatore. Le avevo conservato un po' di carne dalla sera prima, chiedendomi

179

che fine avesse fatto, tu guarda. Ha visto il cibo e ha abbandonato la prudenza, si è avvicinata pensando che sarei stata io a fare la prima mossa. Invece sono rimasta ferma e l'ho spinta a prendere il boccone dalle mie mani. Aveva il pelo lucido, la coda gonfia, forse un po' di contentezza negli occhi, ha addentato il cibo e si è lasciata avvicinare, mi ha consentito di carezzarle il capo mentre mangiava, come il più docile dei cani, poi si è allontanata col passo lieve, e mi ha fatto pensare al gatto, al suo stare con leggerezza nel mondo. E con la fierezza del gatto mi permette di essere ammessa alla sua vita.

Sono tornata al Monte ieri, mi è presa la perversione di riempire le giornate, forse è solo il peso della solitudine. Col Cane ci siamo messi in cammino nel buio che colora le cose di azzurro appena prima dell'alba, la notte ultimamente mi sembra uno spreco, e a volte il canto dei grilli mi spinge fuori nel prato, il posto vuoto al mio fianco mi appare intollerabile, nel sonno inquieto mi sento in galera, così lascio il letto prima del giorno. E il Cane con me, mi segue assonnato in cucina, si accuccia sul tappeto davanti al camino e mi lascia fare le cose di casa, ritorna al sonno sul rumore della caffettiera.

Abbiamo raggiunto la croce sul picco percorrendo la vecchia mulattiera sul fianco del Monte, la mano sostava sulla linea tracciata dall'uomo in un altro tempo, un muretto preso dalle erbacce e dimenticato lassù, che continua imperterrito ad arrampicarsi sul pendio, a indicare la strada ai viandanti. Mi sarebbe piaciuto nella vita costruire, riempirmi le mani di legno e pietra, calli e schegge, invece ho pensato soprattutto a prendere. Oggi è diverso, per fortuna. Abbiamo raggiunto il rudere prima di mezzogiorno, il fiato mi reggeva e dentro avevo ancora intrappolata dell'energia, anche se il sudore mi univa la maglia alla pelle. Mi muove sempre più la necessità di resurrezione che prende gli sconfitti, il desiderio di rimettere le cose a posto, finché mi sarà permesso. Ho trovato riparo all'ombra della parete di pietra, mangiando del pane e salame, il Cane mi ha cercato prima il cibo dalla mano, poi l'acqua da entrambe, unite a scodella. Un uccello ha lasciato il bosco che ci seguiva di fianco e si è immerso nel cielo. Su una nuda roccia ho visto il lichene, di colore giallo cresceva rigoglioso e paziente, consapevole della sua forza che viene dall'unione. A una fenditura nelle pietre mi ha portato un cinguettio, e lì ho trovato il nido dello spioncello, che d'estate vive a queste quote, costruito con fili d'erba e rametti, e foderato di piume e muschio, ospitava tre piccoli che richiamavano la madre con versi pieni di angoscia.

In vetta il dolore mi ha crocifisso, è giunto tutto insieme, lento come la marea, voleva annegarmi. Ho rivisto quel giorno d'inverno, la mano dello Straniero che indicava un punto distante senza strade, il gelo che gli deformava il volto, la voglia di vivere che lo muoveva anche nei gesti più insignificanti. Ho incastrato un sasso accanto a quello che avevamo lasciato e mi sono piegata in preghiera, le ginocchia nude nel terreno caldo, l'ombra della croce mi tagliava in due il viso bagnato di pianto. Ho invocato la sua anima a modo mio, non chiedevo consolazione, cercavo dentro di me il ricordo che alleviasse l'assenza, volevo sentire meno il vuoto. E ho capito che la sofferenza nella vita non mi ha reso cattiva, non ho sprecato il dolore, anche se a volte mi capita di ridere di me e dei miei patemi giovanili, per essermela presa per così poco.

C'era una stella alpina lì accanto, piantata sulla cima del mondo, venuta su con delicatezza e coraggio, nascosta ai più, come accade ai sognatori. L'aria era fredda e mi pungeva la pelle delle braccia, il vento si portava via i capelli, e mi è sembrato di trovarmi al mare, mi è sembrato di scorgerlo laggiù, dietro la Valle, invece era cielo d'estate, incastonato tra i monti aveva la magnificenza della vetrata di un'imponente cattedrale.

Ho sollevato il capo al richiamo di un'aquila reale che volteggiava su di noi come uno spirito benigno, un puntino che raggiungeva la corrente fredda a mezz'aria e stava. E in quella profonda immobilità ho promesso al mio cuore crocifisso che nulla più di brutto sarebbe accaduto.

Stanotte mi ha svegliata la paura, mi sono seduta nel letto, il cuore era tuono nel petto e toglieva il respiro a ogni battito. Ho creduto di morire, e nella penombra ho sperato di non cedere, che ho ancora fame. Le lenzuola erano intrise del mio sudore, ho chiesto al cuore perdono per le troppe guerre, per averlo a volte abbandonato sul campo di battaglia, traditrice di me stessa. Sono corsa alla finestra, una luna piena era di guardia, nel suo stadio completo dava luce al buio, col cerchio perfetto che dura una notte scivolava splendida sul bosco e lo liberava agli occhi, faceva ombre sul terreno e spargeva di ghiaccio la punta degli abeti, era ragnatela argentata, spuma che copre la terra. Alla montagna scoperchiata ho chiesto di togliermi il panico, ed è stato come trovare l'abbraccio di un'amica. Ho vissuto nella foresta con i sassi e gli alberi, e ora li ho dalla mia parte.

Il dolore fisico in questi giorni è il mio maestro, mette paletti, mi spiega i limiti da non superare, i muscoli e le ossa sofferenti mi dicono quanto questo mio corpo sia stato sfruttato e quanto ogni azione ora comporti un prezzo da pagare. La semina mi ha dato e mi ha tolto, sulla schiena porto un peso perenne, un ginocchio si è gonfiato e mi fa zoppa, il volto è raggrinzito, e sulle mani ho incise le ferite della fatica, la terra si è presa lo spazio di pelle sotto le unghie, una linea nera che ora è parte di me. Ma non ho rimpianti, questo mio corpo è stato una festa e mi ha voluto bene, questo mio corpo splende da sempre e lo farà ancora.

Ho preso il binocolo dal davanzale e l'ho puntato verso il fianco del Monte, ho ripercorso il pendio avanti e indietro, come se già potessi vedere spuntare i primi alberi. Nello zaino ho ancora il sacco dei semi vuoto per metà. Ne ho comprati troppi, ho pensato in un primo momento, poi sono tornata a guardare la Valle sotto di me e ho capito che il mio compito non era finito, avrei proseguito con la semina, nonostante il fisico maltrattato sarei tornata lassù, a riempire la montagna, avrei tentato di lasciare un segno ancora più grande, sperando che una buona parte dei semi domani saranno alberi, rifugio per animali e riparo per i viandanti.

E mi è venuta la voglia di cedere al bosco i battiti in eccesso, che fosse lui a prendersi ciò che di malvagio mi abitava, un conato che non si arrestava. Sono dovuta correre all'esterno, il Cane mi ha seguito dalla cuccia con lo sguardo. L'aria umida della notte mi ha aiutato a cacciare l'urlo di salvezza che mi era salito in gola, al Monte ho promesso che ci sarei stata con tutta me stessa fino all'ultimo. Mi sono sbarazzata dell'orrore che mi abita e torna in superficie quando mi sembra che tutto abbia un senso, quando mi sento anche solo per un istante in pace, per venirmi a ricordare che io in pace non posso stare.

Il vento ha portato il mio grido di guerra a destare gli stambecchi e gli scoiattoli, a scuotere i lupi e gli orsi, a sciogliere gli ultimi ghiacci sulla cima, e mi ha restituito un suono attutito, la voce che rimbalzava sulla roccia non era più la mia, mi è tornato indietro un verso svuotato del suo dolore, e l'ho voluto scambiare per un inno alla vita. In casa ho preso posto ai piedi del Cane, ho messo il viso nel pelo caldo del suo petto, sentivo l'alito sulla fronte, ho atteso il giorno contando il suo respiro regolare.

Il cuore sotto le costole recuperava piano il ritmo.

Ero in cucina, toglievo i resti di un pasto frugale, sul tavolo ronzavano due mosche che muovevano l'aria a scatti, una terza era ferma sul davanzale e si prendeva il sole buono sfregando le zampe, un'altra cercava il tozzo di pane con l'insistenza dei credenti, che fanno esistere Dio con la loro caparbietà. L'estate era un tremolio nell'aria, fuori le cicale si consumavano in un canto d'amore e una fila ordinata di diligenti formiche avanzava sul pavimento puntando il cadavere di un moscone davanti al caminetto. La casa si abbandona inerme ai padroni della bella stagione, si scopre come ogni anno indifesa dalla voracità della vita. Una lucertola si è fermata sul bordo della finestra, a guardarmi diffidente, poi è corsa via. Da bambina ne afferrai una per la coda e me la rigirai fra le mani, mia madre era poco più in là, leggeva i suoi libri e mi lasciava al prato, pensai di tenere l'animale con me, ma poi sotto le squame che le ricoprivano il torace vidi un minuscolo cuore che pulsava di paura. E fu allora, ricordo bene, poggiata a quel muretto a secco, che ebbi in dono l'empatia con gli animali, imparai in solitudine la lezione più grande, che la vita batte allo stesso modo in ciascuno di noi, e puoi decidere di rispettarla o di non farlo, vie di mezzo non ne esistono.

È arrivato prima il fruscio, poi una folata di vento improvvisa ha portato il fumo, mi sono spostata all'esterno e l'ho visto, il grande incendio che divampava nel bosco sopra di me, prendeva fuoco l'abetaia. Il crepitio della legna che bruciava ha occupato lo spazio e mi ha travolto come la valanga, la montagna mi ha sbattuto sul viso il suo alito arroventato, il fuoco correva, attraversava terreni e saltava di chioma in chioma, il cielo d'improvviso era bollente e mi è venuto da piangere per gli alberi che non potevano difendersi né scappare, per gli animali, per la mia Volpe. Il Cane abbaiava senza tregua contro il nemico più grande. Sono ritornata in casa, il telefono era ancora nel cassetto del comodino, le mani mi tremavano, ho tentato di accenderlo ma era da caricare, e comunque sapevo che probabilmente non ci sarebbe stato campo, poi ho avvertito il ronzio lontano dell'elicottero e alla finestra l'ho visto salire dalla Valle. Sono tornata fuori, il vento spingeva l'incendio verso la foresta di conifere che dà rifugio alla Guaritrice. È stato più forte di me, le gambe hanno preso a correre senza che me ne accorgessi e in un attimo ero dentro il bosco, inseguivo il fuoco, il Cane dietro. Gli uccelli erano già altrove, si udivano però i versi degli animali in fuga, gli scoiattoli saltavano da un ramo all'altro, una famiglia di tassi scappava alla spicciolata, un cervo entrato dal lato opposto della foresta ci è corso incontro terrorizzato, sbatteva il capo contro gli alberi, falciava il fogliame, bramiva chiedendo forse aiuto alla natura, che gli indicasse la direzione. Il fumo era ovunque, si incuneava fra gli alberi e toglieva vista e respiro, ho sentito l'elicottero superarci col rumore di pale, ma non potevo vederlo. Il grugnito di un cinghiale mi ha fatto sobbalzare, ho creduto di averlo a un passo, ma dietro non c'era nessuno. Ho tolto la maglia per premerla sulla bocca, non potevamo proseguire, il Cane ansimava, la lingua fuori e il respiro corto, la paura ci aveva fatti entrambi prigionieri. Il tempio andava in fiamme e i pilastri vivi che lo sorreggono bruciavano con un sibilo soltanto, un vecchio organismo saggio e benevolo che attira i prodigi e rinnova gli animi stanchi moriva davanti a me senza un lamento, e io assistevo inerme al crollo della più grande fra le cattedrali.

Ho trovato il sostegno di un olmo, ho preso in braccio il Cane per fargli coraggio, lui però mi è scivolato dalle mani con un balzo, è andato incontro alla Guaritrice che scendeva dal crinale zampettando come una lepre spaventata.

Le ho chiuso il volto fra le mani, e ci entrava tutto, così minuto, le ho asciugato le lacrime che cadevano sulla pelle rugosa, le ho accarezzato la testa crespa abbracciandola, le ho offerto la libertà di piangere sulla mia spalla, restituendole le attenzioni che mi aveva donato lei dopo la morte dello Straniero. È pur qualcosa alleviare il dolore dell'altro con pochi semplici gesti, sempre gli stessi. Sono stata confessore e le ho alleggerito il peso da portare sulle spalle, lei che, come me, non ha altro che l'amore per sé stessa e per questa terra. Insieme abbiamo pianto raccolte nella parte morta di bosco.

I pompieri per fortuna hanno spento l'incendio sul nascere, prima che raggiungesse la casa della Guaritrice, ma ora per ritrovarci siamo costrette ad attraversare un lembo di terra desolata, ci divide un pezzo di nulla, e non possiamo non percorrerlo se vogliamo incontrarci.

Ho vegliato sul suo sonno stanco mentre sorvegliavo il cielo e mi perdevo nelle traiettorie degli elicotteri, il bicchiere fra le mani conservava un mozzicone spento in un residuo di vino rosso.

L'ho riportata a casa sul finire del pomeriggio, gli alberi erano carboni neri e l'aria era cenere che volava dal basso, si sollevava dal terreno calpestato, ci accompagnava l'odore delle fiamme spente. Un bosco vive cinquecento anni, costruisce nei secoli, si fa casa per gli animali, riserva d'acqua, spugna che assorbe anidride carbonica e dà respiro. Sul viso disfatto della Guaritrice leggevo la stessa aridità che restituiva la terra violata, aveva perso il suo sguardo folle e d'improvviso mi è apparsa in tutta la sua fragilità. Le era morto un padre, la madre, un pezzo di famiglia, e l'ho sentita così sorella nella disperazione, nell'innocenza, nella solitudine. D'un tratto ha arrestato il passo e mi ha condotto a una roccia annerita, mi ha invitato a chiudere gli occhi, il Cane si è seduto con noi, intorno c'era il silenzio che segue la tragedia. Dalle sue labbra è salito un alito caldo, è nato un nuovo canto sottile, più intenso, che aveva dentro il sortilegio della melodia e la cadenza della liturgia. Un brivido mi ha percorso e ho aperto gli occhi, la Guaritrice aveva il viso contratto in uno sforzo, quella minuscola donna vissuta senza parole riusciva a dar voce alla sua ode interiore strizzando gli occhi e arricciando le dita come se dovesse spremere una spugna imbevuta di liquido denso. E l'ho invidiata, sì, invidiata, io che come tanti forse morirò senza aver liberato il canto che mi abita dentro dal primo vagito. Poi il debole gorgheggio si è fermato e lei mi ha preso la mano, mi ha offerto un sorriso dei suoi, pieno di buona volontà. E siamo rimaste mute nel bosco, a venerare un abete verde che si stagliava nel nero, primo fra i sopravvissuti, scampato per un soffio alle fiamme, splendeva ora di vita e portava in sé la speranza. Il pulviscolo danzava sotto i raggi del sole al ritmo di una musica tribale e misteriosa, e noi sapevamo di non avere altro luogo dove andare.

Agosto

Sono stati giorni di semina, prima di ricominciare sono andata in paese ad acquistare tutti i semi disponibili di abete rosso, il boscaiolo mi ha guardato senza capire e poi divertito mi ha chiesto se dovessi rimboschire l'intera montagna. Ha riso per la prima volta, mostrandomi i denti del colore della liquirizia. Ho annuito e gli ho risposto che sì, la mia intenzione è proprio questa, e allora si è fatto serio, e mentre si lisciava la barba mi ha detto di lasciar perdere, che la montagna si regola da sola, mai decidere per lei. Ho speso quasi tutti i miei risparmi, ma tanto dopo l'estate tornerò giù, il mio compito qui per allora sarà finito, dal bene e dal male che ho preso credo di aver imparato ciò che avevo da imparare.

L'ho salutato e mi sono rifugiata con l'andatura zoppicante dalla Rossa e da sua figlia, che mi hanno accolto nel solito abbraccio. Il ginocchio è ancora gonfio, dovrei fermarmi, ma preferisco pensare che sia l'andatura storta che ti regala l'esperienza. Ho pranzato alla locanda con la polenta e un bicchiere di vino, e la mia amica mi ha spiegato che sua nonna la faceva migliore ancora la polenta, anche se a me la sua sembra ogni volta più buona. Il Cane dormiva sotto il tavolo, un anziano al banco aveva la bocca piena di birra. Ho cercato di spiegare alla Rossa ciò che mi muove in questi giorni, le ho parlato dei miei alberi, ma non le ho detto che partirò alla fine dell'estate.

Lei sapeva tutto della semina, dice che la voce gira già in paese. Ho pensato allora al pastore che mi fissava dall'altro lato del valico, ai pochi escursionisti incontrati che mi avevano salutato incuriositi.

Sono tornata a casa nel pomeriggio, e la mattina dopo ho preso lo zaino e la tenda e ho raggiunto il lago, mi sono ricordata della voglia dello Straniero di arrivare fin laggiù, dove c'è molto spazio per piantare. Davanti alle graziose case prosperavano gli orti, e sui balconi spuntavano i fiori, gli alpinisti salivano al Monte tutti dalla stessa via, i prati erano presi dalle greggi, sulla statale che taglia la Valle i ciclisti sfidavano le salite, e gruppetti di gitanti occupavano le radure ai bordi della strada con sedie e tavolini di plastica. Un piccolo trambusto che mi è parso irruzione su un suolo inviolabile.

Col Cane siamo giunti nell'ora più calma, la superficie dell'acqua era uno specchio immobile che risucchiava ogni forma di vita, lui ha corso nei prati, io sono rimasta sulla sponda, le mani in tasca, ad ammirare il piccolo lago della mia infanzia incassato fra i monti, e c'era così tanta bellezza attorno a me da farmi male, come uno schiaffo inatteso mi ha preso ancora una volta alla sprovvista e mi ha stretto il petto in una morsa di nostalgia che sapevo però non mi avrebbe annientato. Mi sono seduta nella parte in ombra della riva e ho atteso che passasse, ho messo lo sguardo nelle impercettibili ondulazioni dell'acqua al volo degli insetti, il lago era timpano capace di registrare il suono della vita, la più leggera vibrazione nell'aria non gli sfuggiva.

Su un sasso muschioso stava come un capolavoro una rana di un verde carico, e mi guardava diffidente, offriva al sole il suo verso rauco e sembrava sul punto di scomparire nel ventre del lago. Il cielo imbruniva, e io non avevo il potere che di pochi piccoli movimenti, ho stretto le ginocchia al petto e chiuso gli occhi, i suoni erano un tappeto confortante, il cra-cra della rana, il canto dei grilli che invocavano la notte, il ronzio degli insetti che tornavano da dove erano venuti. Nel silenzio fatto di tremolii, d'improvviso un piccolo rumore d'acqua: ho aperto gli occhi, la rana non c'era più. E in quella minuscola e improvvisa assenza mi è sembrato di essere la persona più sola al mondo.

La mattina sono stati i campanacci delle mucche al pascolo a svegliarmi, il Cane si è tirato su di scatto e ha lanciato un abbaio nella tenda, ho aperto la cerniera con gli occhi pieni di sonno e la tinta albicocca dell'alba ancora intessuta nel lago mi ha preso lo sguardo. Ho infilato i piedi nell'acqua morbida di riva, limpida come il cielo sopra di noi, la superficie ha preso l'aspetto di una stoffa stropicciata, il lago si è spostato al mio passaggio ed è tornato a ricomporsi, mi ha avvinto le gambe con la sua immobilità, mai nessun vento avebbe potuto scompigliare quella massa compatta. Sui sassi del fondo però riuscivo a scorgere i filamenti d'alghe che ancora ondeggiavano per il mio piccolo passo. Al centro del cielo indaco una nuvola solitaria piena di bianco si allontanava con l'andatura del pellegrino. Sulla sponda opposta del lago, la mandria di mucche brucava l'erba con parsimonia, qualcuna guardava dalla mia parte masticando, il vaccaro era sulla cima del crinale, a controllare dall'alto che gli animali non sconfinassero. Anche lui ha sollevato il cappello in segno di saluto, ho ricambiato con la mano nell'aria. Dalle vacche ho imparato la compostezza nello stare al mondo, da bambina le guardavo mangiare sotto il temporale estivo senza patemi, con nient'altro nella testa, le seguivo vagare senza apparente meta e ne amavo la capacità di tollerare. In loro rivedo ancora oggi mia nonna, o quelle come lei, anime timide che sapevano attendere e che però si sono consumate lentamente nell'ignavia, divorate da dentro dalla paura e da insegnamenti scorretti. Mi sembra un grande spreco. E mi chiedo quando davvero arriverà l'insurrezione delle donne, quando anche questi grandi bovini, e gli animali tutti, torneranno a prendersi le loro vite liberandosi dall'uomo.

Mi piacerebbe esserci quel giorno, per ridere, ridere, ridere.

Ho trascorso la giornata a seminare, sempre lo stesso procedimento, il sole mi prendeva entrambi i lati del corpo, mi riscaldava la pelle con tutta la premura possibile, come se non ci fossi che io al mondo. A metà mattina la mandria è andata via e sono rimasta sola fra le montagne che mi cingevano mute con i loro portali di roccia bianca, avevo i capelli raccolti in un foulard, il ginocchio pulsava a ogni passo e la schiena doleva a ogni piegamento, eppure lassù, in quel prato solitario vicino al cielo, nei sentieri ardui da salire e discendere, ancora una volta ho avvertito così lontane le miserie umane, e mi sono sentita parte del tutto, ho trovato la forza per non cedere. Alla fine del giorno avevo seminato l'intera zona, e mi sentivo felice. La stanchezza è la via più breve per trovare la pace, per tornare a sé.

Ho raggiunto la tenda che la sera già sfumava i contorni, il Cane è corso a bere l'acqua del lago, le montagne si poggiavano dolci sulla sua superficie, mi sono disfatta dei calzoncini e della maglia imbrattati di fatica, nuda mi sono immersa nel pozzo scuro, il crepuscolo si era preso i rumori, ero rinchiusa in un mondo senza suoni, fatto di luci soffuse e bellezza tenue. L'acqua mi ha tolto la spossatezza e ripulito le cicatrici, mi sono lasciata avvolgere, mi sono data al lago e ho immaginato nuove strade da prendere domani. Il Cane mi guardava serioso dalla riva, gli ho fatto un cenno col capo ed è venuto da me senza timore, ha cercato il mio abbraccio, il sostegno, eravamo un puntino luminoso nell'universo, due esseri incastonati in una valle d'incanto, di cui nessuno sapeva niente, e ci siamo sentiti così unici, fortunati. Mi ha leccato il collo, ondeggiava nell'acqua, i suoi occhi baluginavano nel chiaroscuro, e dentro ci ho letto tante domande senza risposta, e per un attimo l'ho spinto a parlare, a raccontarmi della sua vita a metà, con lo Straniero prima, con me poi, sempre a far da guardia a chi su questa Terra ancora non ha imparato a starci. Ho trattenuto l'aria nei polmoni e sono andata giù, dove tutto era buio, il Cane mi ha atteso, e quando sono riemersa c'era già una falce di luna nel cielo, la notte ricalcava i bordi delle cose.

Sono tornata alla tenda pensando a quante sere d'estate trascorse dentro un'auto, in un parcheggio di periferia, le risate dei felici a far da contorno, la pioggia torrenziale sul parabrezza, le mani che stringono il volante, i vetri che sfumano il mondo esterno e la vita che mi sale addosso come una bestia, con tutta la ferocia possibile mi schiaccia il torace e si prende l'aria, e d'improvviso sento di non appartenere a nessuno, nemmeno alla Terra. Dovevo ancora molto vivere per permettermi di tramutare quella disperazione in riappacificazione, e ho capito che senza quel dolore non avrei imparato nulla, non avrei avuto nulla da cui ripartire. Sono fortunata, la maggior parte delle persone sta in quelle sere solitarie, e chiusa in una silenziosa disperazione finisce la sua esistenza.

Ho lasciato che l'aria notturna mi asciugasse il corpo e ho cercato di non pensare. Ho dato da mangiare al Cane e ho acceso la lanterna, mi sono sfamata col panino al formaggio della mattina, masticando piano, i capelli ancora gocciolavano sulle spalle, lo sguardo al lago magnetico, ora aveva dentro una lunga scia biancastra che veniva a cercarmi i piedi. La lingua del Cane scavava nella ciotola e si prendeva l'attenzione, e un rospo nascosto chissà dove dedicava il suo canto incerto alle stelle.

Poche volte sono stata così profondamente con me stessa

come quella sera. Ero col prato buio, con il lago di bambina, con gli abeti secolari, con le mille storie antiche del bosco, ero con tutti e con nessuno, col Cane e con lo Straniero. Ero con me, con quella che sono stata e quella che sono diventata.

Ero, e non ho potuto non sussurrare un grazie.

Non mi sazio mai di un giorno, invece a tavola ho perso interesse, la solitudine forzata mi mette fame ma non appetito, c'è una parte di me che si sente sazia e un'altra che divora l'esistenza, e io sono questa e quella. Ho cenato controvoglia, mentre intrecciavo il cesto, sulla tavola allungavo la mano a recuperare una fragola. Attendevo l'ora buona, ho tirato fuori dall'armadio una coperta, ho spento tutte le luci di casa e sono uscita. Col Cane ci siamo sdraiati sul prato, un cielo scritto fittamente ci è piombato addosso e ci ha zittiti con un silenzio abissale, la Via Lattea stava su di noi con la sua bellezza tragica, e mi ha commosso l'enorme sforzo che la luce compiva per farsi vedere da me. Gli astri tagliavano muti il cielo nella notte più bella d'estate, tante piccole lucciole erranti baluginavano e fuggivano via, senza darmi il tempo di esprimere un desiderio. Troppe stelle cadenti per le mie poche richieste.

Ho imparato a non desiderare ciò che non ho, a non aspettare chi non c'è, preferisco tirare avanti, che tanto le cose belle arrivano quando non ci pensi più. A questo cielo immenso e profondo non chiederei nulla di terreno, se avessi il coraggio potrei pregarlo di darmi un briciolo di fede, che non l'ho avuta in eredità dai miei. A una di queste stelle che precipitando si fanno polvere potrei domandare di darmi lo sguardo dei bambini, farmi stare nel mondo a modo loro, fidarmi della vita non per necessità ma per scelta. Vorrei poter vedere la luce al mio fianco, la scintilla che evapora nella sera e mi fa compagnia, riconoscere l'angelo che mi viene a trovare, l'amico invisibile che mi dorme accanto e forse sorride, sentirlo sulla pelle come il vento e seguirlo mentre mi sussurra di andare, farmi spingere in avanti da lui, a incontrare le creature dello spirito che si muovono leggiadre sulla Terra per non svegliarci, la schiera di ospiti che abitano silenziosi la mia casa e il bosco. Sapere dove vivono, e avere la fortuna un giorno di incontrare una di loro dentro una persona, fare l'esperienza per credere, ecco cosa vorrei. Come Michelangelo, avere occhi per vedere l'angelo nel marmo, e liberarlo. Cerco l'amico immaginario di bambina, e non voglio tornare a credere che non ci siano angeli per chi è in guerra.

Alla fine non ho chiesto nulla, sono rimasta fuori fino all'alba, il Cane accanto a me russava, io continuavo a guardare il cielo, e lo vedevo così pieno di bellezza e movimento, non riuscivo a non sentirlo indifferente alle nostre piccole cose, mosso da leggi eterne che forse muovono anche noi senza che ce ne accorgiamo, convinti come siamo di poter agire a nostro piacimento, sempre e comunque. E in tutto quel tempo che sono rimasta col naso all'insù non ho incontrato un solo oggetto che abbia sentito amico come sento amici la montagna, l'albero, o il ruscello, niente lassù pareva parlare a me come fa il bosco la mattina.

Però, se devo vivere, piccola stella cadente in questa notte buia come tante, allora devo credere. Perciò, ti prego, se puoi, portami un po' di forza per aiutarmi a inseguire ancora l'assurdo, rendimi stupida un altro giorno, così che possa pensare di riuscire a mettere armonia nel mondo coi miei gesti.

E solo dopo fammi libera.

La Guaritrice è arrivata la mattina presto, aveva la gerla sulle spalle, voleva che l'accompagnassi a raccogliere le erbe. Le ho chiesto della ragazza madre, lei ha scosso la testa e ho capito che non sapeva, e nemmeno se ne preoccupava più, aveva ritrovato il buonumore. Lei anima semplice, sul volto le si allargava l'espressione divertita di chi non prende nulla troppo sul serio. Mi ha convinto a seguirla con uno dei suoi sorrisi senza pretese, e ci siamo dirette chiacchierando a gesti verso i prati, allegre e innocue, inoltrandoci nei sentieri del sottobosco, il cielo si stendeva basso su di noi. E abbiamo riso senza motivo, mentre riempivamo le gerle sulla schiena, nei suoi movimenti c'era la gioia che non ha senso, lei che è esistita a metà ma non per questo è assetata, lei che accetta quello che la vita le offre, accoglie senza indugi e pienamente ciò che ha, ciò che è. La guardavo mentre si chinava a raccogliere le erbe e mi chiedevo se mai saprò vivere così, come i bambini che si rincorrono nella radura senza motivo, le guance rosse e l'affanno a spingerli, e non hanno altro che occhi per vedere e cuore per sentire, alcuna strada da percorrere, nemmeno un progetto da realizzare, vivono di contentezza, parola più piccola e forse più buona della felicità.

A valle gli alberi erano gonfi di frutta, noi eravamo immerse nel profumo dei fiori e ci scuoteva la risata delle matte, il Cane aveva nelle zampe lo stesso nostro passo allegro, gli odori della stagione buona lo incuriosiscono ancora. Danzavamo scalze sul prato, l'estate rendeva tutto perfetto, l'ora non sembrava trascorrere. Abbiamo messo i piedi nel fiume, l'acqua fredda ci ha pulito il viso dal sudore, lei si è bagnata i capelli e senza la solita impalcatura sulla testa mi è apparsa altro. Siamo state sull'erba ad ascoltare il mormorio degli insetti, le gerle piene e un po' di appetito nello stomaco, e solo sul finire del mattino siamo rientrate, il sole era un bacio caldo fra le scapole. È stato un giorno senza impegni, di quelli che ti rimettono in piedi. Qualcuno li definirebbe uno spreco, ma quel qualcuno non ha capito niente.

La Guaritrice si è presa casa senza chiederlo, ha riempito il lavello e tolto la terra dai germogli di luppolo, dal tarassaco, dai boccioli di fiordaliso, dall'acetosella, dall'origano, dalla menta, dal timo e dalla salvia selvatica, dalle foglie di alchemilla, dagli spinaci e dall'erba cipollina, ha tagliuzzato tutto sul tavolo, le mani del colore del legno che compivano gesti sicuri. Ho acceso i fornelli, ma la bombola si sta esaurendo, e una fiammella tiepida soffiava a fatica dai fuochi. Il Cane ci guardava dalla cuccia, stanco di troppa corsa. La padella si è messa a sfrigolare e la casa si è riempita di odori. Abbiamo mangiato insieme ciò che avevamo colto, bevendo vino nel silenzio del primo pomeriggio. Di queste giornate, di quest'anno, conserverò poche parole, rammenterò i silenzi che mi hanno dominato, quelli dai quali nasciamo e nei quali moriamo, il silenzio della montagna che chiede di essere ascoltato, quello degli abitanti del bosco di notte, la presenza muta della Guaritrice, lo sguardo raccolto dello Straniero, la compagnia senza parole della Rossa al tavolo, i miei stessi silenzi, che mi hanno spaventata a volte.

Alla Guaritrice ho detto che a fine settembre andrò via, tornerò in città, lei ha buttato giù l'ultimo sorso di vino e ha abbozzato un sorriso, quindi si è alzata per mettere i piatti nel lavello. Come se non avessi parlato, come se non credesse fino in fondo alla possibilità che io trovi il coraggio di farlo, di separarmi non già da lei o dal Monte, quanto da me stessa.

L'eco delle macchine che a valle tagliano il primo fieno scandisce i pomeriggi, fanno avanti e indietro e i campi si riempiono di balle. Col Cane siamo scesi a passo lento, per curiosare da vicino, abbiamo attraversato il canalone camminando lungo una stradina asfaltata che bruciava di sole, ci accompagnava l'odore del concime e il canto insistente delle cicale che non si mostrano mai, al centro della via una lunga scia di letame lasciata da un gregge di passaggio.

Raggiunti i campi, l'odore del fieno appena tagliato si

prendeva tutto, un profumo denso, pesante, che calava sulle cose e portava ricordi. Qua e là spuntavano fiori lilla, rossi e gialli, il rumore lontano di un trattore copriva il ronzio dei tanti insetti che mi evitavano per un soffio, stormi di rondini calavano in picchiata come gabbiani sul mare aperto. Mi sono seduta al limitare del campo, cercavo il sole sulle spalle, come la lucertola sul sasso. Un piccolo roditore rovistava timoroso ai piedi di una balla di fieno, il Cane, per sua fortuna, affondava il muso nel terreno e non lo ha visto. Un'auto è sfrecciata dietro di noi e mi ha preso lo sguardo, una vecchia Fiat Panda blu scuro che trasportava sul tettuccio alcune bombole di gas, alla guida l'uomo senza capelli che in un giorno di gennaio era venuto anche da me.

Nel naso, l'odore delle estati da bambina mi dava alla testa. Ad agosto, per il secondo taglio, arrivavano i contadini, impugnavano grandi falci, qualcuno al collo portava un fazzoletto rosso, tutti si proteggevano con cappelli di paglia, il volto arcigno fatto di poca carnagione scura ricopriva sorrisi abbozzati da denti marci. Si muovevano lenti, abituati a vivere nel tempo vuoto, ai miei occhi parevano spaventapasseri, con occhi di bottoni e pelle di stoffa. Si radunavano in gruppi e passavano al setaccio la Valle, di solito il giovedì, di modo che la domenica il fieno essiccato potesse essere raccolto dalle famiglie riunite, e con sé avevano bottiglie di vino scuro che si passavano nell'ora del ristoro. Il fieno, prima di essere raccolto, veniva girato due volte al giorno col forcone, e la sera accatastato in covoni, così che la rugiada notturna bagnasse solo la parte superiore. Al mattino lo si sparpagliava di nuovo a terra per tornare a farlo seccare.

Ho atteso che anche l'ultimo uomo fermasse il suo lavoro e la macchina si arrestasse stanca fra le balle, poi ho fatto cenno al Cane di seguirmi e ho preso a correre senza senso nel campo vuoto. Lui mi abbaiava dietro, io sentivo di non potermi fermare, e chissà se in quell'istante è passato qualcuno sulla stradina, o se da lontano qualcun altro ha potuto vedermi, perché crediamo che i nostri piccoli momenti di felicità siano sempre e solo nostri e non interessino nessuno, invece spesso in un angolo nascosto ci sono occhi che ci seguono, cercano forse un po' di allegria.

A casa siamo tornati col tramonto che scendeva sulla Valle, un'ombra lenta è venuta a spegnere il ronzio degli insetti, ha portato via farfalle e lombrichi. Avevo l'odore di fieno addosso, sono uscita dal campo sporca e piena di graffi, ma il volto me lo piegava una smorfia di felicità. Il Cane, non sazio, mi chiedeva ancora il gioco. E così siamo tornati a ridere nel campo buio. Abbiamo vissuto. Un giorno ancora. E chissà se qualcuno da lontano ci guardava.

Anche agosto volge al termine e nell'aria c'è un'impercettibile sfumatura di mutamento, la Valle profuma di more ed è tinta del blu dei mirtilli. Io sto in queste sere come da bambina al mare, quando, finite le vacanze, ricordavo tutto insieme e cercavo protezione nell'orizzonte azzurro, lo pregavo di restituirmi il tempo passato, di poterlo ancora rivivere. Fuori, ogni cosa accadeva veloce, i miei preparavano le valigie e già parlavano di progetti, dentro di me invece scorreva lento un fiume di lacrime, piangevo di malinconia, respingevo con forza l'idea della fine.

Mi era rimasto un sacchetto di semi, ieri ho deciso che l'avrei sparso lungo la strada che porta alla fattoria, così da salutare anche la famiglia. Col Cane ci siamo messi in cammino presto, abbiamo attraversato i boschi con l'attenzione dell'esploratore, cercavamo gli spazi da seminare, gli alberi erano un intreccio di tane, animali e uccelli indaffarati a campare, la Valle sotto di noi si stirava calda al sole e cantava a festa l'eco delle campane. Il paese lontano era un ventaglio di colori, dalle montagne scendeva ancora il sereno, dai campi mietuti giungeva un vago odore di fieno. E noi camminavamo nell'odoroso silenzio, le margherite ci splendevano addosso e tra le ultime farfalle e le api inconsapevoli non c'era nulla di fermo attorno, non un solo movimento inutile lassù, un solo essere che avesse voglia di sconfinare dal suo lavoro quotidiano. E mi è sembrato che tutto appartenesse a tutto, e io ne facessi parte, e che valesse davvero la pena sforzarsi di cercare il bello, di prendersi tutto il dolore della vita per una sola mattina così.

Lungo il sentiero abbiamo incrociato una coppia di escursionisti e una mandria al pascolo in un quieto spazio verde. Siamo arrivati prima di pranzo, c'erano delle capre che si saziavano d'erba e parevano allegre, ci ha accolto il loro belato. Poi è uscita la Benefattrice, che stavolta mi è corsa incontro, e mi sono chiesta se meritassi tanto affetto. Siamo state sole, il marito era in paese con i figli, al tavolo della cucina abbiamo bevuto tè freddo al limone, stavo per dirle che sarei partita, ma lei mi ha anticipato, aveva negli occhi il solito garbo, ma era inebriata di sé e non contava le parole, non ascoltava, mi ha preso le mani e mi ha chiesto di seguirla. I cani ci sono venuti dietro a un fischio, lei correva già verso il sentiero che sale, la muoveva l'entusiasmo, la spinta che prende i fortunati o i più coraggiosi, e toglie gli anni di dosso. Ho ripensato a mia madre, che a volte celava la sua perseverante eccitazione quasi vergognandosi di condividerla con noi, con me. È stata per me madre e educatrice, ma poco mamma, che è qualcosa che mi appare più caldo. Eppure, nessuno mi ha mai fatto sentire migliore di certi suoi sguardi di nascosto che incontravo per caso e mi toglievano tutti i pensieri dalla testa. Quegli sguardi sono fra le poche cose che ancora mi tengono insieme.

Dopo venti minuti di cammino siamo arrivati a un rifugio, una baita di due piani dall'altra parte del Monte, quella che prendono gli scalatori che puntano il versante nord, che si sale solo in cordata. La Benefattrice mi ha raccontato che il

Club Alpino Italiano ha dato via libera ai lavori per rimettere in sesto il vecchio rifugio, loro potranno aiutare in questa fase per poi prenderlo in gestione, il permesso gli è stato finalmente accordato. Mi ha parlato di ciò che li aspetta in autunno, e poi nella primavera prossima, perché apriranno per l'estate. In zona è pieno di alpinisti diretti al Monte, il rifugio sarà pieno come una volta, ha concluso sorridendo.

La baita però è cadente, il tetto ha ceduto in più punti, il legno è marcio, le scale sembrano non poter reggere un solo passo, c'è tanto lavoro da fare, ma è stato così bello ascoltarla, nonostante non riuscissi a non pensare allo Straniero, ai discorsi che facevo con lui. E lei a un tratto deve averlo capito, perché mi ha chiesto se mi andasse di unirmi a loro, se volessi aiutarli, lavorare lì, semmai vendere i miei cesti, e aveva nella voce sussurrata tutta l'intimità dell'amicizia profonda. È difficile resistere alla gioia senza confini dell'altro, perciò abbiamo riso strette, e per un attimo mi è parso di avere ancora uno scopo a trattenermi. Non ho avuto più il coraggio di dirle della partenza, non mi sembrava giusto.

Ci sono persone che riescono a ripararti con poco, solo rimettendo insieme i cocci. A volte piccoli equilibri si spezzano e le cose tornano a posto, e ti si aggiusta la vita. A volte non c'è da cambiare, solo da riordinare. Mi piace l'idea di aiutare la Benefattrice a fare quello che non è riuscito allo Straniero, sarebbe un altro bel modo di ricordarlo, ma non saprei dove trovare la forza per attraversare un altro inverno quassù.

Sono tornata con lo zaino pieno di yogurt, ricotta, budini, formaggi vari, burro, uova, due bottiglie di latte appena munto, e mi sono come sempre fermata a salutare da lontano, il braccio nell'aria, la fattoria da lì entrava tutta nella mia mano, il Cane ha abbaiato per salutare quello della Benefattrice e poi la boscaglia ci ha riportato a casa. Sulla via del ritorno non ho osato pensare che era l'ultima volta che prendevo quel sentiero, l'ultimo tramonto da quella parte di montagna, gli occhi mi bruciavano di addii.

L'abetaia ci ha restituito a un cielo prugna, la sera si poggiava leggera sull'estate che resiste, e nell'immobilità del tramonto veleggiava uno stormo nell'aria. Migliaia di uccelli, un'onda nera che occupava lo spazio con figure che apparivano per il tempo dello stupore, e la Valle sotto il poetico ballo risplendeva. Mi sono accovacciata sul prato, nemmeno ricordavo più l'ultima volta che avevo ballato, e ho capito che gli uccelli stavano facendo della vita un uso migliore. Perciò sono balzata in piedi e ho smosso il vuoto attorno a me, roteando su me stessa per ritrovare l'equilibrio, come la trottola e la ballerina, la Terra e gli altri pianeti, e mi è sembrato quasi di udire la musica, di lottare contro tutto ciò che mi vuole ferma, che mi appesantisce e mi trattiene. È stata la mia preghiera di ringraziamento all'estate, e mi piace credere che il Monte mi stesse salutando, che avesse messo in piedi solo per me l'ultimo atto del grande spettacolo che mi ha tenuto compagnia in questi lunghi mesi.

Settembre

C'è già il soffio dell'autunno in queste sere blu che mi accompagnano alla partenza, fiuto l'umidità. Le montagne si sono svuotate, la gente è tornata in città, siamo rimasti i soliti volti, ma non mi rammarico, ho meno slanci di entusiasmo di qualche settimana fa, ma sono in pace, il corpo ha preso il ritmo della natura, si prepara al letargo che non dovrà vivere.

C'è un momento, verso l'imbrunire, mentre già dispongo casa alla partenza, in cui la tristezza mi si aggroviglia in gola e sento più che mai l'assenza di questo posto, ancor prima di essere andata via. A volte mi fermo chiedendomi se stia facendo la cosa giusta, se non sia corretto dare respiro al dolore, invece di ingoiarlo, se voglia davvero tornare alle leggi di giù. Non so darmi risposta, è che forse restare richiederebbe uno sforzo maggiore dell'andare.

Vago nelle giornate e mi perdo nei boschi prima che tutto inizi a morire, ma non riesco a togliermi di dosso l'idea della partenza, la fine che c'è nell'aria, o forse solo nella mia testa. Settembre per tutti è un mese di inizi e nuovi progetti, io invece l'ho vissuto sempre da orfana. Settembre per me è uno strappo violento, l'ora del rimpianto, nella quale mi soffia addosso l'alito del tempo. In autunno sento i sussurri di tutte le cose che ho perduto.

Le vigne lontane nella Valle si arrampicano succose ai

piedi dei colli e lasciano una macchia rossastra di furore sul fianco del Monte, famiglie intere di contadini si aggirano tra i filari di vite con grossi cesti al fianco, le vecchie li portano in equilibrio sul capo, aiutandosi con le braccia ancora piene di sole, su e giù per la montagna, e nel silenzio del primo pomeriggio l'eco delle loro risate o l'abbaiare dei cani festanti arriva fin qui, e mi sembra di sentire anche l'odore inebriante del mosto. Finito il saccheggio della terra, la vigna tornerà vergine e toccherà agli alberi essere spogliati dal vento, in una dolce morte che sarà il preludio a una nuova vita. Sugli aceri e sui larici qualche ramo ha già iniziato a bruciare, impaziente. Un bubbolio lontano preannuncia pioggia.

L'estate è lontana.

È tornata da me la Volpe, che avevo creduto morta nell'incendio. È arrivata di mattina, per la prima volta, ha atteso come sempre che il Cane fosse nel bosco per avvicinarsi. Mi ha colto di sorpresa, stavo facendo l'ultima legna, da conservare per chissà quando, così da non lasciare il tronco a marcire. Lei era dietro di me, stesa sul terreno, la lingua fuori, la coda vaporosa nel fango, mi guardava e attendeva paziente. L'ho scambiata inizialmente per il Cane, o forse per un lupo, perché devo essermi mossa troppo in fretta, e lei è scattata sulle zampe e ha fatto un balzo all'indietro. Ho provato ad accovacciarmi per rassicurarla e farla riavvicinare, poi sono andata in casa a recuperare un pomodoro e una carota, ma lei è rimasta a un metro, le orecchie attente al pericolo, cercava forse le tracce del Cane nei dintorni. Si è allontanata di qualche metro e si è fermata. E io sono tornata a offrirle il cibo, tendere la mano. Lei però non sembrava attratta, continuava a fissarmi con i suoi occhi intelligenti, come se volesse dirmi qualcosa. Era denutrita e sporca, le costole erano piccole onde sul torace e il pelo aveva chiazze di grigio. Eppure, rifiutava il cibo. Si è voltata per andarsene, ma sul limitare del bosco mi ha cercato di nuovo, e mi è sembrato che mi stesse chiamando. Ho fatto un passo in avanti, e poi due, e lei ha aspettato immobile. L'ho raggiunta, e solo allora ha preso la via del bosco, silenziosa e agile in mezzo alla sterpaglia e agli arbusti mi ha condotto lontano da casa. In una radura si è fermata per accertarsi che ci fossi, quindi ha proseguito, è salita su un pendio, verso il piano subalpino della montagna, trotterellava guardando un po' avanti e un po' indietro, e io faticavo a tenere il suo passo. E poi siamo infine giunte dove voleva. Al fondo di una radura in pendenza sul fianco del Monte, da un buco nel terreno riparato da un masso sono spuntati tre cuccioli rossicci che hanno preso a correre verso di lei. Si sono incontrati a metà strada, loro le saltellavano fra le zampe, esultavano scagliando in aria il piccolo corpo pieno di gioia di vivere, lei li ha cercati con il muso e la lingua, e non mi ha più guardata.

Le gambe non mi hanno tenuta, sono caduta in ginocchio. La Volpe mi aveva condotto alla sua tana, e mi sono sentita investita di un onore che è per pochi, non sono riuscita a non piangere per la fiducia che mi era stata accordata. Un animale protegge i cuccioli dal predatore più feroce che c'è in natura, l'uomo, una madre nasconde la tana dei suoi figli, lei invece mi aveva portato lì di proposito, forse come gesto di riconoscimento, o solo per farmi capire che si erano salvati. Per un tempo che mi è parso interminabile, non ho saputo fare altro che restare a guardare le leccate di una madre che toglievano la paura e fissavano i cuccioli saldamente nel mondo. Porterò a lungo dentro di me la nobiltà di quella scena divinamente animale, porterò con me il diritto e la fierezza di essere femmina e madre, pur senza figli da saldare al mondo.

Il gruppetto si è allontanato e io sono tornata sul sentiero. A casa c'era il Cane ad attendermi sull'uscio. Ho preso la rincorsa per stringerlo a me con tutta la forza che avevo, e lui mi ha cercato il viso ancora salato di lacrime con la lingua ruvida.

L'amore è una cosa molto piccola e personale.

È la Volpe che ti porta dalla sua famiglia, un cane che ti aspetta.

È una leccata, un bacio che ti fissa al mondo.

Sul finire del pomeriggio, sotto un cielo carico di rabbia, sono tornata a sentire uno sparo, l'eco mi ha raggiunta dall'altro lato della montagna e mi ha bloccata mentre pulivo casa. Dentro mi è parso che bruciasse una fitta, ho avvertito il dolore inflitto da quel proiettile a chissà quale innocente animale, ed è salita la collera, che è solo umana e a volte però serve a rimettere a posto le cose. Sembrerebbe che io ne abbia coltivata poca in questi lunghi mesi, ma se sono sopravvissuta all'inverno e a me stessa è per caparbietà, per curiosità e amore, certo, ma anche per rabbia. È la rabbia che mi ha portato fuori nonostante tutto, a sfidare il mondo e la montagna, a fare legna o a cercare nuovi sentieri. È la rabbia spesso a farci rompere il guscio, la rabbia che ho provato alla morte dello Straniero, quella che sento addosso oggi con la riapertura della stagione della caccia. La rabbia mi ricorda che non sono ancora indifferente, mi ha reso efficiente nella vita quando è arrivata, e ora la voglio benedire su questo diario, io che sono in cerca di pace, mai potrei rinunciare alla collera che porta all'azione.

Siamo una specie assassina, uccidiamo senza fame, imprigioniamo e rendiamo gli animali invisibili, puniamo senza remore la loro innocenza, manchiamo di pietà ed empatia, siamo vili e temiamo la nostra sola fine, non quella degli altri, non certamente quella degli animali, che invece sanno morire da soli nel bosco, con la dignità che noi non sappiamo. Quello sparo mi spinge ad andarmene, è lo spartiacque, è ora di tornare in città, l'ora dei saluti. Oggi chiudo quello che c'è da chiudere, domani vado via. E chissà se qualcuno dall'altra parte mi sta aspettando, se ci si abitua alle assenze io non l'ho mai capito davvero. Per tutti la vita è un eterno ritorno a casa, io non so più dov'è la mia vera casa.

Stanotte andrò dal Gufo sotto il tetto, è lì da mesi, lo sento nelle mie notti e mi domando quanto sappia della vita, se gli pesi o se sia davvero libero. Vorrei potergli chiedere di restare, e di farsi trovare quando risalirò in primavera per vedere se gli alberi hanno attecchito. Lo scoprirò ancora una volta immobile, gli sussurrerò i miei pensieri nel silenzio della sera, mentre lui mi fisserà con i suoi occhi notturni meditando di cacciare, e lo pregherò di non cambiare nido, di aspettarmi, rendermi insonne ancora una notte. E sotto l'ultima luna mi farà compagnia il suo verso familiare, e quello dei lupi del bosco, che onoreranno il commiato con un lamento. E allora saprò che in questa terra c'è qualcosa di mio al quale tornare. E nel letto mi sentirò un po' meno sola.

La Guaritrice era sotto la pioggia gentile di settembre, raccoglieva funghi rannicchiata come la chiocciola, sulla strada verso la sua casa. Ha notato lo zaino e ha capito, e per la prima volta l'ho vista venirmi incontro senza sorriso. Senza sorriso mi ha preso a sé, ha trovato il solito posto dove posare il viso, nell'incavo della mia spalla, abbiamo modellato i corpi ormai e ci incastriamo con pochi gesti. Mi ha tenuta stretta sotto un larice, la pioggia scivolava dappertutto, era piena di memoria e portava ricordi, e ci ho rivisto in un pomeriggio d'inverno, a casa mia, a disegnare faccine buffe sui vetri appannati. Sotto il grande albero che allungava i suoi rami a proteggerci c'era la luce insicura che segue l'estate. La Guaritrice mi ha preso il mento con le dita dure, mi ha tirato un pizzicotto e mi ha portato l'odore della terra, del muschio e dei funghi sotto il naso, l'aroma malinconico dell'autunno, solo allora mi ha sorriso, e ho sentito già la sua assenza nella mia vita, ho capito che mi sarebbe mancata come può mancare una madre.

Mi ha portato verso casa, ma non era a casa che voleva portarmi, e lungo il tragitto che ci ha aperto alla radura ho scorto un uomo e una bambina mano nella mano prendere la vecchia mulattiera che conduce al campo giallo di fiori d'arnica. Da lontano li ho visti studiare i segnali che ho risistemato in primavera, hanno trovato la strada indicata e sono spariti nel bosco, e io sono rimasta a chiedermi se fossero esistiti davvero. Mi piace pensare che ciò che costruisci, il piccolo bene che doni, ti ritorna sempre in qualche forma. Nonostante i miei mali, continuo a credere che il bene mi spetti di diritto, spetta a ognuno di noi, è questa la fiamma sacra che brucia il mio cammino, qualcuno la chiama speranza, a me basta definirla fiducia. Il bene mi è tornato con quel padre e sua figlia diretti al campo di fiori gialli, riportare alla luce il vecchio sentiero ha aggiunto un nodo a una trama spezzata, e ora posso camminare nella vita da funambolo, il filo alla caviglia mi tiene e mi sostiene, mi lascerà libera di spaziare, mi aiuterà ad allontanarmi col vento a favore e mi permetterà di tornare, quando sarà il momento.

Ci siamo fermate sotto l'ultimo abete verde sopravvissuto all'incendio, e la Guaritrice mi ha chiesto con gli occhi di carezzarlo. Lo abbiamo fatto entrambe, le mani sulla ruvida e viva corteccia, e ho capito che per lei era un rituale di buon augurio, una preghiera di conservazione, che quell'albero mi proteggesse, difendesse le nostre anime nude, noi come lui, scampate per un soffio, per caso, fortuna e testardaggine, per la voglia di vivere che nonostante tutto ci muove.

Come l'abete, sono uscita indenne e splendo di verde.

Nello sguardo dolce che la Guaritrice mi ha dedicato prima che ci separassimo c'era il giusto addio, la richiesta di una promessa, l'ho capito, c'era un ordine muto che mi obbligava a continuare a farlo, a splendere.

Alla fine del pendio mi ha accolto il piccolo cimitero, vedevo già le croci e ho pensato che mi piacerebbe morire un giorno incamminandomi leggera su un viale di foglie secche, calpestarle col minimo rumore, un fruscio di passi ad accompagnarmi alla mia nicchia, senza troppi addii da piangere. Il Cane annusava i sentieri, io posavo gli occhi sulle lapidi, su nomi, date e parole di vanto, e mi pareva di sentire l'ammonimento di chi mi guardava passare, di chi è stato nel tempo senza saperlo, capirlo. L'età che passa dovrebbe rendermi schiava, eppure non mi spaventa ciò che mi rimane, non conto gli anni ma i giorni, e me li farò bastare.

La tomba dello Straniero è a terra, nascosta dietro una cappella, c'è il suo nome sulla lapide, due date, nessuna foto, nessuna scritta. Ho posato sulla lastra di marmo il cesto ormai finito, e mi è parso così bello e compiuto nella sua imperfezione, e ho pensato che lo Straniero sarebbe stato fiero di me, che ho imparato a mettere insieme le cose. Dentro ci ho infilato un mazzetto sgualcito di margherite fresche, e un piccolo vento gentile è venuto a muoverle un po'. Il Cane ha annusato l'aria e si è seduto, composto. Ho cercato una posa intima, nel cuore avevo un accenno di preghiera, che forse è già preghiera, ma le parole non mi aiutavano, mi sono scivolate di bocca sotto forma di confidenza. Ho parlato allo Straniero da amica nel silenzio di una giornata di fine estate, nel raccolto cimitero senza altri ospiti che me, e gli ho raccontato degli alberi piantati su al rifugio, degli altri versanti seminati, della fatica che mi è costata, ma anche della tregua che mi ha portato. Gli ho raccontato della proposta della famiglia, e poi gli ho parlato del Cane e della Volpe, della vecchia mulattiera ripristinata, della salita in solitaria al Monte, gli ho spiegato che a volte i momenti migliori e quelli peggiori arrivano insieme, e non si possono dividere. E per ultimo gli ho detto che me ne andavo, tornavo a casa, che non avevo la forza di attraversare un altro inverno. Gli ho sussurrato con le mani nelle tasche che mi sono sentita terribilmente sola quassù, ma mai abbandonata, e che tutto finisce, e anzi le cose durano proprio poco, già lo sappiamo in fondo, ma questo non ci impedisce di amarle. Gli ho confidato che la sua morte mi ha mutilata, ma inizio a perdere i dettagli del suo volto. Dimenticare però sarà cosa lunga. Gli ho parlato degli amori finiti della mia vita, e di quelli mai cominciati, che vivo con eguale lutto, e di come l'esistenza sia un illimitato atto di separazione al quale non mi abituo. L'ho salutato col bacio nell'aria, ho preso fiato e mi sono inchinata a lui senza cedere nelle ginocchia, non c'era disperazione nel mio intento, e forse ho fatto divertire Dio con la mia goffaggine. Ho omaggiato lo Straniero, il nostro incontro, col segno della croce, la mano su fronte, petto e spalle, e gli ho ripetuto che la stagione è finita, devo tornare da dove sono venuta. Ho posto fine a noi con un sorriso, perché è successo, e l'abbiamo vissuto, e non ho pene per questo.

Il Cane gli ha lanciato l'ultimo abbaio, una specie di guaito sordo, un battito di cuore lasciato per terra.

Poi eravamo già lontani.

Ancora.

Ho sostato sulla panchina in piazza, davanti avevo la locanda, dentro il vetro sagome familiari compivano gesti rassicuranti, la Rossa e sua figlia apparecchiavano parlottando. Delle esistenze degli altri amo pescare l'attimo invisibile, ciò che non si mostra, lascio che le vite che mi appartengono si muovano in campo lungo, come al cinema, un'inquadratura ampia che le rende così tremendamente piccole, fragili, e me ne innamoro. Ho imparato a non sprecare la vista, la vita mi ha preso a bottega, ho fatto tirocinio per arrivare a vedere, ma ho pagato dazio, ora scorgo anche ciò che non voglio. E mi resta comunque il rammarico per tutto quello che non ho veduto.

Ho preso il diario, il vento era una voce fiacca, il sole finiva il giorno sulle montagne e le mura delle case viravano al rosa. Ho sentito di voler disegnare, tracciare linee sul foglio per prendermi l'insegna della locanda, portare con me uno schizzo di vicolo, nell'ennesimo viaggio. E pensavo a quanto mi sarebbe mancato tutto, vuotavo sulla carta il pieno di emozioni raccolte. La piazza mi pareva il sagrato di una chiesa, e la poca gente che l'attraversava un tesoro. Ho cominciato dall'allegria della fontanella, e poi i singoli pezzi si sono incastrati, il piccolo albero al centro spiccava come un totem, le composte aiuole con i fiori, sentivo solo il fruscio della grafite e ardevo dal desiderio di rendere permanente quel posto, raccogliere un po' della sua meraviglia. Ho scavato a fondo dentro di me e nemmeno me ne rendevo conto, nemmeno capivo quanto dolore c'era nel lasciare il paese.

Poi il Cane al mio fianco ha abbaiato e la Rossa mi ha visto, il disegno si è spezzato, è rimasto a metà. Anche lei, come la Guaritrice, ha puntato prima lo zaino dei miei occhi, anche lei ha capito, e allora le ho regalato l'ultimo sorriso che conservavo. È uscita e mi si è seduta vicino, aveva il solito guizzo ribelle nello sguardo, e mi è venuto da pensare che a volte le trovo in faccia l'espressione dispettosa delle bambine. La sua mano ha cercato il Cane, poi mi ha chiesto perché, e io non ho saputo risponderle. Avrei dovuto spiegarle che non si impara mai davvero a stare soli, avrei dovuto forse chiederle di darmi un motivo per rimanere, lei mi ha toccato il braccio e mi ha chiesto di tornare, che a scomparire sono bravi tutti. Avrei dovuto confessarle che ho vissuto di paure, che la mia vita è un continuo passaggio, un tentativo di dimenticanza, che mi sento in costante pericolo, e nella memoria cerco da sempre il riscatto, ma che a volte è penoso. E ora mi sembra di dover prendere fiato da me, anche se non so dove mi porterà quest'altro percorso, che ho passi ma non direzione. Avrei dovuto ricordarle che noi tutti dobbiamo provare ad aggiustare le nostre vite sbagliate.

Le ho detto solo io vado, e non so perché.

Ha aperto le braccia e si è fatta croce per accogliermi, mi ha affidato un po' della sua fede laica. Sua figlia mi ha salutato dall'uscio col sorriso storto dell'addio, poi il Cane si è alzato di scatto e non mi è rimasto che seguirlo. La Rossa mi ha fermato, è corsa dentro ed è tornata portando il quaderno di ricette scritte a mano dalla nonna, ha insistito sostenendo che tanto glielo riporterò, e che dentro c'è spiegato come cucinare la favolosa polenta. Ha detto che mi avrebbe aspettato, e che comunque il mondo è rotondo e che chi parte perde tempo, e mi ha fatto ridere un pochino. Poi mi ha preso alla sprovvista e mi ha svelato che ora ho un nome per il paese, che la gente di qui mi chiama la Donna degli alberi. E quando hai un nome, hai un luogo al quale tornare.

Mi si è fermato il fiato e ho sentito il pianto in gola, un fiore gioioso mi cresceva improvviso in petto e toglieva l'aria, la commozione più dolce mi ha vinto e spezzato le gambe. La Donna degli alberi, ho ripetuto sottovoce, ed è bastato un movimento di labbra a farmi amare il mio nome nuovo.

La strada asfaltata che mi avrebbe portato alla corriera scendeva solitaria fra i prati ed era un brulichio di insetti, il sole galleggiava basso sulla Valle e rendeva tutto tiepido, il vento leggero non poteva spazzarmi di dosso il male, ero carne nuda esposta all'aria. Il Monte lassù ha preso il colore dell'autunno, era lontano alla vista e mi faceva sentire nomade. Mi sono seduta sul bordo della carreggiata, mi doleva il corpo di tristezza e il ginocchio si era gonfiato. Di fronte al paesaggio che lasciavo, non riuscire a piangere mi è sembrata una disgrazia.

Il Cane annusava il selciato, gli occhi allegri di chi non sa. Le api seguitavano a ronzarmi attorno festose. Ho ripreso a camminare, andavo piano, procedendo sull'orlo del dolce pendio, e tiravo calci ai sassolini, la via da percorrere mi sembrava troppa e mi pesava sulle spalle, cercavo una scusa perfetta per non arrivare mai. Sono tornata con gli occhi al Monte dietro di me, inseguivo il versante seminato, ma il fianco del massiccio era già nero. Ho aggiunto pochi passi alla discesa e frenato ancora l'andatura, la testa me la occupava per intero il mio nome nuovo, così pieno di bellezza, così significativo e completo, e mi è sembrato un tale spreco abbandonarlo lassù.

Il Cane ha inclinato il capo per guardarmi, cercava una risposta.

E allora ho capito tutto insieme. Ho capito che il mio nome nuovo a questa terra indissolubilmente mi lega, e non posso tradirlo. Ho capito che non posso e non voglio tornare in città, ad abbracciare leggi che non sono mie.

Resto su, dove l'albero, l'uomo e l'animale hanno eguale valore.

La nuova convinzione mi ha aperto al sorriso più bello. Il Cane ha abbaiato euforico, mi sono voltata e ho preso la strada a salire e lui mi ha preceduto scodinzolando, incredulo e felice di riportarci alla baita.

Io, donna piena di vissuto, spettinata e libera, ho chiesto invano di essere ascoltata e ora ho dentro il petto poca aria e sul viso il dolore dei vinti. Ma non mi sento vinta, ho ancora il potere di trasformare le cose, di metterle insieme.

Io, donna minuscola e nuda che respira in questo minuscolo punticino del mondo, sperduta a tanti, fra tanti, in un giorno qualunque tra l'alba e il tramonto, io finalmente ho un nome.

Ringraziamenti

Non sono un buon credente, mi muovono troppi dubbi, però conosco forse la più importante tra le preghiere: la gratitudine. Per ciò che mi è stato donato, per quello che sono diventato, per l'amore che ho ricevuto. Questo romanzo è per le donne della mia vita, che mi hanno accolto, accudito, amato, e reso un uomo migliore. Grazie dal profondo del cuore.

Ringrazio poi l'editore Feltrinelli, Gianluca Foglia, perché mai come stavolta mi ha dato fiducia piena, e non è scontato. Grazie a Ricciarda Barbieri e a Giovanna Salvia, che hanno reso questa storia più bella. Grazie alla mia agente, Silvia Meucci, per l'appoggio e le lunghe chiacchierate, lei che conosce bene le leggi di su. Grazie a Stefano Percino, presidente delle Guide della Val d'Ayas, e a Samuel Becquet, agricoltore a chilometro zero della Val d'Ayas, per avermi tolto dal dubbio.

E grazie soprattutto a voi lettori, che mi accompagnate con passo amico.

Siete nelle mie laiche preghiere.

Indice